哆！艺术史超有趣

Cool Art

［英］西蒙·阿姆斯特朗 著

［英］达米恩·维西尔 绘

林洁盈 译

云南出版集团

云南美术出版社

目录

欢迎来到《嘭！艺术史超有趣》

艺术无所不在，只不过某些人却感受不到事物的艺术性。艺术存在于电视中，电视本身就可以是艺术；艺术可以将我们划分开来，也可以让我们团结在一起；它可以娱乐我们，教育我们，并为我们展示新事物，也可以同时进行以上这些事情。

世界上最著名的剧作家莎士比亚曾写道："美来自双眼的判断。"他说得没错。世界上所有艺术的美丽与辉煌——从广告牌到自画像，以及这之间的一切——都来自观看者的双眼。那个观看者就是你啊！艺术最棒的地方就在这里——它完全取决于你的看法。但是，正如许多专家与历史学家的观点，为了将对艺术的观赏与鉴别传递下去，你首先要敞开心扉，去了解所有的艺术形式，了解各种艺术的惊奇历史，认识创造与欣赏艺术的方法，并弄清楚艺术到底能表达些什么。这也是你会在这里，读着这本《嘭！艺术史超有趣》的缘故，学习有关艺术的历史与重要事实——包括各种美妙的形状与大小——如此一来，你才能（在通晓的状况下）展开想象力，在你最爱的艺术家创造的风景中徜徉，并点燃自己的创作热忱。

从米开朗琪罗到班克西，从透纳到赫斯特，从沃霍尔到每天用智能手机创造艺术的你，艺术无所不在地包围着我们，自我们的祖先在 3000 年前开始在洞穴墙壁上画下细长人形与动物以来，艺术一直是人类智力发展与进化的驱动力。在那以后，艺术已经有了相当长足的进展。

《嘭！艺术史超有趣》是一本有趣的艺术历史书，介绍了许多重要的艺术家、概念与技巧，让你步上一生为各种艺术形式和艺术家陶醉的道路。让我们开始吧。画笔准备好了吗？很好，那我们就出发吧！

缺少传统，艺术就好比一群没有牧羊人的羊。
缺乏创新，艺术便宛如死尸。

——温斯顿·丘吉尔

历史上最酷的艺术运动

石器时代（前 75000 年—前 2500 年）
在南非地区，旧石器时代的穴居人创造了已知最早的艺术：将动物图像绘制在岩石上。巨石阵也建造于公元前3000年！不过，巨石阵是艺术吗？

美索不达米亚时期（前 3500 年—前 500 年）
以战争为题的艺术！

古罗马时期（前 500 年—476 年）
古罗马人建造了罗马竞技场与万神殿。

拜占庭与伊斯兰时期（476 年—1453 年）
迷宫、马赛克与伊斯兰教的诞生给人启发，促使人们拾起画笔进行创作。

文艺复兴早期与全盛期（1400 年—1550 年）
现代文化在意大利诞生，这都要归功于达·芬奇、多纳泰罗、拉斐尔以及在梵蒂冈城西斯廷教堂的天顶画下壁画的米开朗琪罗。

巴洛克时期（1600 年—1750 年）
艺术成为宗教宣传的武器。此时期也是荷兰的黄金时代，欧洲西北沿海地区低地诸国的画家如伦勃朗、鲁本斯与维米尔成为世界上最伟大的画家。

浪漫主义时期（1780 年—1850 年）
在法国大革命与美国革命期间，个人的想象力成为艺术之钥。德拉克洛瓦与透纳是该时期两位最重要的艺术家。

现实主义时期（1848 年—1900 年）
马奈、库尔贝与米勒开始在户外作画（即所谓的外光派），赞颂工人阶级的潮流也开始兴起。

印象派时期（1865 年—1885 年）
和莫奈、雷诺阿与德加一起捕捉自然光线的奇观。

现代艺术的开端

后印象派时期（1885 年—1910 年）
对印象派温和反叛的时期，凡高、高更与塞尚成为传奇人物。

表现主义时期（1900 年—1935 年）
和亨利 · 马蒂斯、瓦西里 · 康定斯基一起感受表现主义的情感。

立体派时期（1905 年—1920 年）
毕加索用立体主义将艺术世界搞得一团糟。在那个年代，不画些方格，就落伍了！

超现实主义时期（1917 年—1950 年）
达利老爱捻弄胡子，杜尚与马格里特则很搞怪。1924 年，法国作家安德烈 · 布勒东发表《超现实主义宣言》。

抽象表现主义（1940 年—1950 年代）
不以描绘具象的方式来表现。穿上你的连身工作服——波洛克、德 · 库宁与罗斯科在创作时总是搞得一团凌乱。纽约超越巴黎，成为全球艺术之都。

波普艺术时期（1954 年—1970 年）
波普艺术百花齐放！对安迪 · 沃霍尔和罗伊 · 利希滕斯坦来说，艺术是消费主义，也是转瞬即逝的名气。

极简主义时期（1960 年—1975 年）
简单到没什么可看。

后现代主义（1970 年代至今）
浸泡保存的鲨鱼是达米安 · 赫斯特最著名的作品。

下一波会是什么呢？

超有趣运动

伟大的文艺复兴时期艺术的重生

英文里文艺复兴“Renaissance”一词，有“重生”之意，指公元 1500 年左右，意大利艺术蓬勃复苏的时期。文艺复兴时期的重要画家如达·芬奇、米开朗琪罗、拉斐尔与提香等，自那时起一直是家喻户晓的名字。

教会影响艺术

在文艺复兴运动兴起的时期，教会在欧洲非常强大，宗教支配着一般人的日常生活。教会需要许许多多的艺术家，替意大利各地的礼拜堂与大教堂等创作艺术作品。因此，为了保住工作，画家必须绘制基督教艺术。

趣味艺术小知识

达·芬奇身兼画家、雕塑家、建筑师、科学家、数学家、工程师与解剖学家的角色。他被视为所谓的“文艺复兴人”，是众人眼中的博学家。

保持真实

文艺复兴时期的画家发现了透视的法则，因此绘画作品看来很逼真。他们也开始掌握比例的概念。素描与绘画变得精准且技术化，当时在进步的科学与工程也发生了同样的情形。有关透视的进一步资讯，可参考第 6 页。

米开朗琪罗是文艺复兴时期最伟大也最让人惊叹的艺术家，他的艺术作品着实改变了全世界。刚开始的时候，米开朗琪罗在意大利佛罗伦萨从事雕塑。1496年，他搬到罗马。隔年，他以大理石雕塑作品《哀悼基督》扬名，这件作品描绘被钉死在十字架上的耶稣横躺在圣母玛利亚两膝之间的情景。几年以后，在1501年至1504年间，他创作了《大卫》，一座高达5米的男性裸体大理石雕像，这可以说是他最杰出的雕塑作品。然而，他替西斯廷教堂天顶绘制的壁画——包括著名的《创造亚当》——才是让他无可争议地跻身于意大利最伟大艺术家行列的作品。

透视画法
别被卡在背景里

如今，艺术已经不受规则限制。尽管如此，有一套极其重要的法则从文艺复兴时期起一直延续至今，这里说的就是透视画法。

在透视画法出现之前

在 14 世纪以前，没有人会太去在意绘画背景中的物体是否比前景中的物体更小：大多数绘画作品的描画都是在一个平面上，人和物体的大小取决于他（它）们的重要性。

透视指事物相对于彼此的外观，取决于事物与观察者的距离。透视有两种主要类型：直线透视与空气透视。

那么它为什么改变了？

那时有位名叫菲利波·布鲁内列斯基的意大利建筑师。为了帮助自己理解距离和比例的关系，布氏把佛罗伦萨部分建筑物的轮廓画在一面镜子上，然后把每一条线都往后延伸，发现这些线条全部都聚集在地平线上：他确立了“灭点”的概念。自此以后，透视的概念就流行了起来。

来到空中

到了 15 世纪下半叶，达 · 芬奇把透视提升到了一个全新的层次。在这个阶段，透视只能处理光线与视线，不过达 · 芬奇开始思考光线穿过的空气。他注意到，当物体移到更远处时，它的边缘会变模糊，甚至改变颜色。这个概念被称为空气透视。

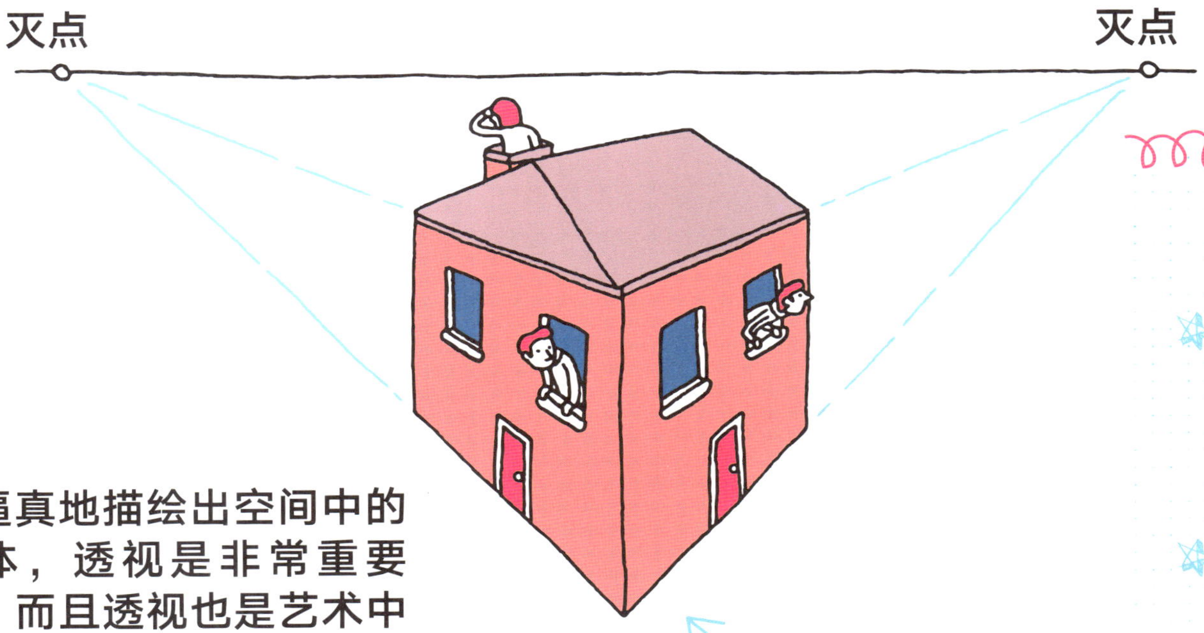

要逼真地描绘出空间中的物体，透视是非常重要的，而且透视也是艺术中带点数学和科学的领域。

直线透视有两种基本形式

- **单点透视** 会发生在灭点在你面前的情况下；你可以想象站在一条笔直的道路上眺望地平线的情景。
- **两点透视** 发生在你观看到物体有两个以上的面对着你的时候，就如图中这间房屋。

超有趣作品
1号

《蒙娜丽莎》
列奥纳多·达·芬奇

《蒙娜丽莎》无疑是全世界辨识度最高的艺术作品之一。艺术史学家们相信，《蒙娜丽莎》是丽莎·格拉迪尼的肖像，她是佛罗伦萨丝绸富商弗朗西斯科·戴尔·吉奥康杜的妻子，不过这幅画所包含的讯息远不止如此……

没有睫毛，却有着甜美的微笑

《蒙娜丽莎》的“笑容”在过去100年始终受到热烈讨论。我们很难分辨出她到底是高兴还是难过，原因主要在于她的眼神将情绪掩盖了起来。她嘴角那一抹淡淡的微笑，可能表示她感到满足，或是其他——你怎么看呢?

趣味艺术小知识

《蒙娜丽莎》这幅作品有个缺陷。1956年，一个名叫乌戈·翁加札的仁兄向这幅画扔了一颗石头，导致画像左肘旁的一小块颜料脱落。

卢浮宫初印象

1911年，《蒙娜丽莎》在巴黎卢浮宫失窃。窃贼名叫文森佐·佩鲁贾，他在储物柜里躲了一整晚，隔天轻轻松松把这幅画从墙壁上取下，走出博物馆。他在两年后试图销售赃物的时候落网。佩鲁贾声称，他并没有行窃，而是出自爱国主义——他希望这幅画能回到意大利。现在，这幅画有自己专属的温湿度控制展览室，外围还装设了防弹玻璃。

《蒙娜丽莎》绘制于1503年至1506年间，自1797年就在卢浮宫里展示。

论从哪个角度欣赏这幅画，娜丽莎似乎都在注视着你。

没有眉毛！在 15 世纪的佛罗伦萨，剃眉毛是合乎礼节的做法。

列奥纳多在唇边运用了能制造模糊效果的晕涂法，让这部分看来栩栩如生。

没有签名！达·芬奇不会在他的绘画作品上签名或标注日期。

超有趣艺术家

卡拉瓦乔
巴洛克时期的坏男孩

卡拉瓦乔的职业生涯虽然只有短短 13 年，却也多彩多姿。他没在创作史诗般的壮丽作品时，通常就是在和人打架互殴，并因此被逮捕。

一手握拳，一手持画笔，动手吧！

在 1592 年于米兰袭警以后，年仅 21 岁的卡拉瓦乔离开家乡前往罗马。他的第一份工作（当然）来自教会，是以马太生平为题的三幅画，这三幅画让他成为罗马最优秀的画家。

然而，卡拉瓦乔古怪反常的行为掩盖了他创造力十足的一生。他最终因高烧而病逝，年仅 38 岁。

趣味艺术小知识

英文中巴洛克“baroque”一词来自葡萄牙文的“barocco”，意思是“形状奇怪的珍珠”。

光明与黑暗

他在刻画宗教人物的时候，会使用一般劳动人民作为模特儿。这是种前所未有的做法，迫使人们重新思考运用绘画表现世界的方式，也永远改变了艺术。他也掌握了明暗对比的技巧，运用光亮与黑暗的明显对比营造出戏剧性效果。

裁切的发明

卡拉瓦乔是第一个将画中人物进行裁切的画家。现在的我们会觉得，画中人物的脚被画框裁切，或是一个人的画像只有全身的一部分，是很平常的事，不过这个概念在17世纪却是非常古怪，当时的人在绘制肖像的时候，通常是画全身，而且人物会位于画面的正中央。然而，卡拉瓦乔却认为缩放的做法才是合理的。

伦勃朗
荷兰绘画大师

全名伦勃朗・哈尔曼松・凡・莱因，是 17 世纪（荷兰黄金时代）最重要的艺术家，以让人着迷的肖像画及对色彩的绝佳掌握闻名于世。伦勃朗被视为欧洲历史上最伟大的艺术家之一。

伦勃朗来自一个磨坊主与面包师的家庭，他在步入艺术之初，以肖像画起家。到了 17 世纪中期，他的野心越来越大，开始接受大型画作委托，绘制出世界上（与他本人）最知名也最具争议性的绘画作品——《夜巡》（1642 年）。这件作品目前收藏在阿姆斯特丹荷兰国立博物馆，它是阿姆斯特丹射手连队的群像画，据说队长和队员总共付给伦勃朗 1600 荷兰盾，委托他绘制这幅作品。这样的报酬在当时可谓天价，而这件画作最终也成为他最棒的一幅作品。

尽管职业生涯成就非凡，伦勃朗却因为花钱没节制，入不敷出，导致他人生的最后十年都在贫困中度过。

你会怎么替自己画像？

趣味艺术小知识

伦勃朗最著名的作品其实是风格相当阴郁的自画像。

伦勃朗有一部分作品的运气似乎欠佳。《夜巡》至今被破坏三次：1911 年被刀子割坏，1975 年遭受严重挥砍，1990 年则被喷上酸性物质。他的另一幅杰作《加利利海上的风暴》（1633 年）在 1990 年于美国波士顿伊莎贝拉·斯图尔特·加德纳博物馆遭窃。

大型画作

多产画家

伦勃朗在他整个职业生涯中创作了大量的绘画与蚀刻版画。他早期的绘画风格比较“平稳”，细腻的笔触让他能充分刻画出细节。到了晚期，他的风格变得比较粗犷，笔触线条比较粗——有时甚至直接用调色刀上色。伦勃朗也是技术高超的版画师，其风格随着他对于不同制版技术的实验而演变。

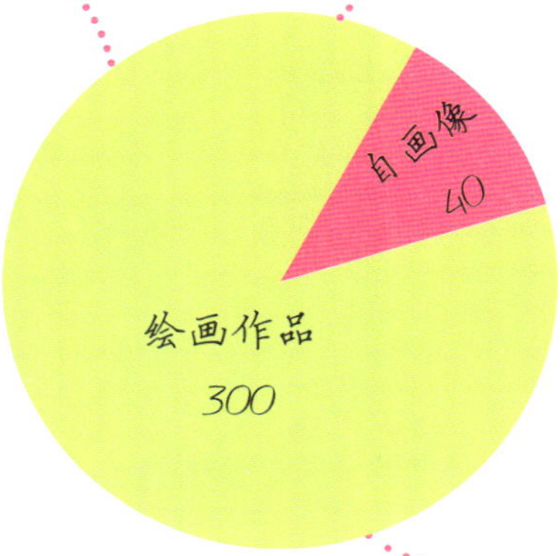

雕塑的兴起
不停地凿就对了

雕塑是地球上最古老的艺术形式之一（雕塑的英文“sculpture”一词来自拉丁文，有“雕刻、切开”的意思）。从前，人们会用小雕像给猎人带来好运，后来则被用来创作神像。而且那只是个开始……

三维的生命

以油画布或屏幕为媒介的二维艺术需要倚赖空间错觉来达到视觉冲击，相形之下，三维物体的存在本身，对我们来说就是一种挑战，一种冲突。雕塑是一种非常强大且壮观的存在，也正因为如此，雕像才会成为公共空间中让名人“永垂不朽”的最佳选择。

所有的自然与工业原料都可以被用来制作雕塑，包括石材、金属、陶瓷与木材等，这些材质可以用传统工艺技术如石雕或青铜铸造等来塑造。石材是特别耐用的选择，许多数千年前制作的石雕至今仍然存在。

纽约著名的自由女神像被视为新古典主义的大型雕塑作品。你觉得它到底有多高？

雕塑之最

最古老的雕塑 目前一般认为是以猛玛象牙制作的《史前狮子人雕像》，制作时间约在 4 万年前。这件雕塑品高 31.1 厘米，出土于德国的一个洞穴。

最著名的雕塑 《米洛斯的维纳斯》，这是一件古希腊时期的雕塑杰作，（我们认为）它出自安提阿的阿历山德罗斯之手。这件作品为什么这么有名？因为这个维纳斯没有手臂！

最具争议的雕塑 这个项目的竞争非常激烈，不过在 19 世纪，罗丹的《吻》无论到哪里都引起轰动，因为它对于主题，也就是一个吻，有着煽情且栩栩如生的展现。

最昂贵的雕塑 阿尔贝托·贾科梅蒂的《行走的人》于 2010 年以 1.43 亿美元的高价售出。

最高的雕塑 位于中国河南省鲁山县的中原大佛，伫立于一座佛寺的上方。这尊佛像非常巨大，高达 153 米，在数千米以外的地方就可以看得到。

米开朗琪罗的《大卫》：对这本书的小读者来说，这件作品实在太不雅观了。要看裸男秀，可以到意大利佛罗伦萨的美术学院。

在历史上雕琢出一席之地

西方的雕塑传统始于古希腊，在以哥特风格制作宗教雕像的中世纪也非常盛行。文艺复兴时期出现了许多闻名全球的雕塑作品，包括米开朗琪罗的《大卫》在内。

现代雕塑始于 1900 年，当时罗丹在巴黎的世界博览会展出许多件作品。尽管如此，罗丹的自然风格受到来自康斯坦丁·布朗库西的抽象形式的挑战，可没多久就被众人舍弃。自此以后，艺术雕塑很大程度上摒弃了描绘人体的传统角色，而将焦点集中在形式、尺度与结构上。

答案：93 米

超有趣艺术家

约瑟夫·马洛德·威廉·透纳 风景画之王

趣味艺术小知识

透纳相当多画作以灾难场景为主题，例如船、火灾与暴风雨等。

透纳自小就展现出艺术天分，他彻底改变了风景画，对于水彩的运用至今仍无人能及。

工作中的大师

约瑟夫·马洛德·威廉·透纳于1775年出生于伦敦，曾在皇家艺术学院习画。1803年，透纳设立了自己的画廊，以展示学院展览厅无法容纳的画作。这是展现自身作品并建立声誉的好方法。

透纳开始的时候绘制的是简单明确的山水与海景，不过由于他对太阳与光线效果越来越迷恋，作品风格也逐渐演化。后来，他的画作成了一大片漩涡状的色彩，有着让场景变得模糊不清的明亮阳光与薄雾，几乎到了完全抽象的地步。松散的笔触、高度主观的视域与朦胧的景色引人惊讶，也对19世纪后来的印象派运动造成了非常大的影响。

画画是件很奇怪的事。
——J. M. W. 透纳

大局观

透纳的第一幅水彩画是《坎特伯雷大主教官邸》，于1790年在皇家艺术学院夏季展览展出，当时的透纳年仅15岁。这幅画作表明透纳已经娴熟掌握了透视的诸多元素——这并不让人意外，因为当时他已经为好几位建筑师工作了。

透纳奖

透纳奖是以50岁以下的英国艺术家为对象的知名年度大奖，创立于1984年，为向透纳致敬，以透纳为名。这个奖项的闻名之处在于，入选艺术品稀奇古怪，其中最受争议的三件作品分别是：

· 恩里科·大卫那个装有摇椅腿，以混凝纸浆制作的蛋头人。

· 达米安·赫斯特放在甲醛中的虎鲨。

· 翠西·爱敏凌乱的床铺。

试着想想透纳本人会怎么去培养部分得奖者，是很有趣的一件事。

浪漫主义
爱在空中蔓延

超有趣运动

浪漫主义于 19 世纪初蓬勃发展，注重人的情感、感觉与直觉。它并不只是一个艺术运动，同时也涉及文学和诗歌的领域。

浪漫的艺术

你可以用“浪漫”来形容任何受到情感与情绪所引导，而不是拘泥于古典艺术形式结构的艺术品。浪漫主义难以界定，不过你可以说，那是你在面对大自然的浩瀚时的感受，那是你可能在看到一个意想不到的美景、眺望汹涌大海、登上山顶眺望山谷，或是看着一个如诗如画的废墟时，可能得到的感受。著名浪漫主义艺术家卡斯帕 · 大卫 · 弗里德里希以“艺术家的情感就是他的法则”替浪漫主义做了总结。

趣味艺术小知识

浪漫主义的诞生，是对于差不多同时发生的工业革命所产生的文化反应。著名的浪漫主义时期画家包括威廉·布莱克、托马斯·科尔与约翰·康斯太勃尔。

浪漫主义排行榜

- **《乌鸦树》**，卡斯帕·大卫·弗里德里希，1822 年
- **《自由引导人民》**，欧仁·德拉克洛瓦，1830 年
- **《被拖去解体的战舰无畏号》**，约瑟夫·马洛德·威廉·透纳，1839 年
- **《1808 年 5 月 3 日》**，弗朗西斯科·戈雅，1814 年

大局观

浪漫主义艺术家是一群很麻烦的人。杰利柯·西奥多为了绘制《梅杜萨之筏》（1819 年），不但把头发剃个精光，还断绝跟所有朋友的往来，在画室里放了张床，扎扎实实画了十个月。直到那时，他才允许自己精神崩溃。

浪漫主义时期的艺术作品著名之处，在于它们率先让风景画成为重要的绘画三题，而再不是以描绘人物与场景为主。

超有趣运动

现实主义 艺术模仿生命

在 1840 年到 1880 年间，现实主义画家如居斯塔夫·库尔贝、让－巴蒂斯特－卡米耶·柯罗、让·弗朗索瓦·米勒与爱德华·马奈等，试图尽可能正确地捕捉现实，为历史上下一个重要的艺术运动，也就是现代艺术，提供了垫脚石。

现实主义——呈现事物原本的面貌——恰与理想主义相反，理想主义表现的是事物可能或应该有的样貌。

现实主义代表作品

- **《拾穗者》**，让·弗朗索瓦·米勒，1857 年
- **《乡村姑娘》**，居斯塔夫·库尔贝，1852 年
- **《三等车厢》**，奥诺雷·杜米埃，1862 年
- **《画室里的午餐》**，爱德华·马奈，1868 年

趣味艺术小知识

现实主义是始于欧洲的艺术运动，它是对于浪漫主义情绪性夸张主题的反扑。现实主义者敢于探索日常生活的主题，不同于理想主义的想象或浪漫主义的情绪性面貌。

真实世界的呈现

在 19 世纪，贫富之间的鸿沟，意味着任何艺术家只要按事物原貌作画，必然会引起争议。居斯塔夫·库尔贝认为，所有艺术都应该呈现包括阴暗面在内的真实世界的样貌，哪怕是对于贫苦人家与社会不公的悲惨描绘。

马奈是另一位现实主义画家，不过他并未身涉社会或政治议题。他的作品《奥林匹亚》（1863 年）描绘的是一名裸身躺在床上的女性。这件作品于 1865 年在巴黎沙龙展出，掀起了相当大的风波。

爱德华·马奈：从现实主义到印象派

大局观

与其他艺术运动不同的是，现实主义时期的雕塑与建筑作品并不多，这也许是因为1840年发明了摄影的缘故。

超有趣作品
2号

《草地上的午餐》
爱德华·马奈

这幅画引发了艺术史上最著名的丑闻之一。1863年，巴黎沙龙的评审团拒绝了这件作品，后来在落选者沙龙展出，在对观赏者造成震撼之际也吸引了大批群众前往观赏。为什么呢？这一方面是因为作品描绘的是一名裸女与几名穿着衣服的男性席地而坐，另一方面也是因为马奈那一手革命性的绘画技巧。

新技巧

马奈的绘画技巧是具有争议性的。他运用快速的笔触与色块，并没有试着调和色调，创造出传统的假象。当时艺术界的当权派认为，这只是因为艺术家很懒惰，不过这其实完全是艺术家刻意构思的技巧。另外，这个技巧后来也对紧随其后的印象派运动带来非常大的影响……

让画中人物迎向观看者的目光，这是马奈刻意挑战观看者的地方，让我们思考观察与被观察之间的关系。

趣味艺术小知识

在英语中这幅画被译为“The Luncheon on the Grass”，即“草地上的午餐”，不过它原本的题名是《浴》。

著名印象派画家克劳德·莫奈受到马奈这件杰作的启发，也画了一幅《草地上的午餐》（1865—1866年）。

这幅画有相当多的地方参考了意大利文艺复兴时期的艺术作品。画作里的男士以拉斐尔的河神为原型，将之重新塑造成体面的中上阶级绅士。

镜头！相机！开拍！拍照片

摄影是将光线捕捉到胶片上的过程，它可以说是人类最伟大的科技进展之一。摄影出现以后，便成了记录世界的新方法，几乎立即让大部分绘画变得多余，许多画家因此失业。

趣味艺术小知识

摄影的英文“photography”来自希腊文的“photos”（光线之意）与“graphein”（描画之意），这个词在1839年初次被科学家约翰·赫歇尔使用。

绘画之死？

在19世纪中期，许多人认为镜头可能会完全取代画笔，然而，虽然绘画艺术本身因为照相机的发明而有了彻头彻尾的改变，它还是存续了下来。高度主观、反现实主义的印象派运动始于摄影成为主流的同个时期，这并非巧合。摄影可能在无意间孕育了现代艺术。

你拍摄的前一万张照片永远是最差的。

——亨利·卡蒂埃-布列松

照片没有好坏，只是你的脸有时候看起来不太一样。

——亚伯拉罕·林肯

咔擦！

绘画与艺术

就纪实性而言，照片似乎比绘画更加可靠，不过每个人都知道，照相机也有可能说谎。摄影师可以选择将照相机对准什么东西，何时按下快门，而且更可以决定要保留或略去哪些元素。最重要的是，他们选择的那张照片，所呈现的故事看起来可能和同时拍摄的其他照片相当不同。

绘画与艺术

摄影改变了艺术家的构图方式。照相机的取景器提醒着我们，影像会一直延续到画幅以外的空间，我们可以选择拍摄哪一部分的场景。摄影出现以后，绘画开始远离具象的呈现，转向更极端的技巧与风格，就如现代艺术所示。

大局观

第一张彩色照片拍摄于1861年。摄影师为托马斯·萨顿，他使用的是英国物理学家詹姆斯·克拉克·麦克斯韦构想出的三色叠加原理，当时的拍摄物是一条格子呢缎带。

超有趣作品
3号

《七个苹果的静物画》
保罗·塞尚

保罗·塞尚曾说："用一个苹果，我将惊艳巴黎。"他确实也做到了。塞尚是幻觉大师，常被认为是19世纪晚期最具影响力的画家。巴勃罗·毕加索更将塞尚尊称为"所有艺术家的父亲"。

"A"代表苹果

塞尚在巴黎参与印象派运动的伙伴与朋友主要关注的是光影与颜色，而塞尚则对形式比较感兴趣。他选择画苹果，因为他希望像苹果这类朴实主题的地位能提升，达到与他研习多年的早期绘画大师们所擅长的宗教主题一样的高度。

大局观

2013年，塞尚的另一幅《苹果》（1889—1890年）卖出了4160万美元的高价，不但震惊巴黎，也震撼了全世界！

趣味艺术小知识

历史学家相信，塞尚是印象派与20世纪早期运动立体派之间的桥梁。

往后站一点……就可以看到苹果如魔术般地变得立体！

如何以保罗·塞尚的方式描画静物

1. 选好一件物品，例如一颗球、一只玻璃杯或一张椅子。
2. 将物品放在桌子或柜子上，确保背景不要太杂乱。
3. 确认光源如灯的位置，以你想要的方式将光线打在物品上。
4. 选好你的位置以后，花几分钟从各个角度观察物品。试着在脑海中确立你想要的位置、阴影、纹理与外观。
5. 开始动手时，试着运用你在物品上看到的形状，例如圆形或长方形，或是轻轻画出能将物品等分的线条。
6. 一旦你用线条轻轻地把整个物品描绘好，便开始加深轮廓，不过不要画得太深，否则整个画面会变平。
7. 现在，开始增添细节，例如阴影。
8. 画上细节以后，往后退一步，看看自己的画作，和物品做比较。还有什么需要做的？接着做下去就是了。

原色

色彩的运作方式对艺术至关重要：有些艺术家为光线的效果着迷；有些对色彩的象征意义感兴趣；有些则运用色彩来表达情感。然而，这一切都始于原色。

大局观

根据苏富比拍卖行艺术专家菲利普·胡克的说法，使用红色为主的艺术品通常卖得比较好也比较多。这可能是因为他有多余的红色绘画要出售，或者也可能是他另有所图。还很有可能是因为红色能够激起人的情感，让它成为艺术家手中非常有力的工具。

准备好调色盘……

原色

红色、黄色与蓝色

间色

由等量的两种原色混合而成：紫色（蓝色与红色）、绿色（蓝色与黄色）、橘色（红色与黄色）

复色

由一种原色加上一种混合该原色的间色混合而成，例如蓝紫色或蓝绿色一小撮红色比一整桶红色还要红。

——亨利·马蒂斯

黄色

黄色代表快乐、能量与光，不过也代表疾病。凡高与莫奈非常喜欢黄色，经常使用，不过德加却很讨厌黄色，根本无法忍受。

红色

红色不只是原色，也是一种原始的颜色。红色代表愤怒、血、热度、爱情与热情，因此它会成为艺术家的热门选择，并不令人讶异。红色是最早被用于绘画的颜色，红色调可以从黏土、铅与水银矿石中萃取出来。胭脂红是一种非常明亮的红色，它是用捣碎的雌胭脂虫制成的，目前仍然被当成食用色素（E120）使用。

如果你看到一棵树是蓝色的，那就把它画成蓝色。

——保罗·高更

蓝色

法国画家伊夫·克莱因将蓝色视为一种具有伟大精神内涵的颜色，把蓝色当成非物质、虚空的象征。蓝色对克莱因而言意义重大，他甚至试图取得自己最喜欢的深蓝色（群青色）的版权与商标权。虽说暴露在蓝色中据说可以振奋精神，它同时也具有众所周知的忧郁效果。巴勃罗·毕加索在1901年至1904年曾经经历了所谓的“蓝色时期”，这是指他在那段期间受到抑郁情绪的启发而绘制了一系列以蓝色为主色调的画作。

补色

你可以用颜色来做很多事，一整个频谱的颜色都可以任你自由支配。

异性相吸

每个颜色都有相对立的颜色，也就是所谓的补色。色环是能够展现补色的简单方法。艺术家常常会充分利用补色的效果。举例来说，若图像中出现红色，人的眼睛会自动开始在其他颜色中寻找绿色：绿色会让红色看来更强烈。如果艺术家想要将一位女士的头发画成让人炫目的亮橘色，那么只要将她的衣服和耳环画成蓝色就可以了。

色环——艾萨克·牛顿的发明

大局观

色环是艾萨克·牛顿在17世纪60年代的发明，它是很重要的工具，能帮助我们了解我们看到的颜色。一旦我们了解色环对于原色、间色与复色的配置，就能确切看到特定颜色是如何以及为何互补或对比的。

色彩是心智与宇宙相遇的地方。

——保罗·克利

有关颜色的词汇

色相

单一颜色的色度，介于饱和到白色之间。这个词用来表示我们看到的颜色并不是最饱和的色度。

最纯洁、最有思想的人，
也就是最喜爱颜色的人。
——约翰·拉斯金

色调

阴暗的程度，介于黑与白之间。在黑白照片中，你对于图像的观看与理解并不会受到颜色影响。“明暗”一词常常会被用来代替“色调”。

颜色存在吗？

颜色其实并不存在，它是我们的大脑制造出来的。我们对于色彩的印象是因为光线被分成不同的波长，这些波长形成所谓的可见光谱。我们的大脑可以将这些波长转译成颜色。

黑与白

如果我能找到比黑色更深的东西，我会用它。

——约瑟夫·马洛德·威廉·透纳

要得到白色，可以将光谱上的所有颜色混合在一起，或是将墨水或其他色素去除。白色包含“所有颜色”，同时也是“无色”。

——原研哉

印象主义
模糊的画面

超有趣运动

印象主义让艺术的焦点被带离主题，重新回到艺术家身上。印象派画家的目的在于捕获某个瞬间，而对他们来说，那一瞬的光线与色彩比描绘对象的细节还来得重要。

趣味艺术小知识

印象派绘画的特征包括又小又薄但可见的笔触、开放式构图、强调光线的准确描绘、共同的创作题材，描绘主体具有些许程度的变动以及不寻常的视角。

艺术家重掌主导权！

现实主义运动改变了艺术的主题，不过并没有对方法造成影响。接续在后的印象主义，则忽略了任何描绘客观现实的尝试。印象派画家相信，世界应该要用主观的方式来描绘，正如个别艺术家所感受到的，这也使印象派的作风远离了任何传统规则。自印象主义以后，艺术家在风格上完全解放。虽然当时的评论家对印象主义并没有留下深刻的印象，这些艺术家都也一帆风顺，越来越成功。

大局观

“印象主义”一词来自莫奈的作品《日出·印象》（1872年），这幅画描绘的是勒阿弗尔港口的海景。该作品于1874年展出时，艺术评论家路易斯·勒罗伊直白地将这幅画的题名读出来借以挖苦这群艺术家，而一个新兴的艺术运动却也就此产生。

印象派代表作品

- **《喝苦艾酒的人》**，艾德加 · 德加，1876 年
- **《游船上的午宴》**，皮埃尔 · 奥古斯特 · 雷诺阿，1881 年
- **《巴黎的街道 · 雨天》**，居斯塔夫 · 卡耶博特，1877 年
- **《日出 · 印象》**，克劳德 · 莫奈，1872 年
- **《睡莲》**，克劳德 · 莫奈，1916 年以后

超有趣艺术家

克劳德·莫奈
印象派绅士

莫奈和他的友人喜欢带着画架在户外闲逛，他们这种独特的风格孕育出历史上最受赞赏也最具影响力的艺术运动之一。

趣味艺术小知识

莫奈最著名的《睡莲》系列花了十年的时间才完成，总共有 250 幅画作。

如何以莫奈的方式作画

如果知道方法，其实并不难。好吧，也不是那么简单，不过这里提供一些帮助你入门的基本知识：

1. 使用彩色画布为背景。这有助于剔除单调白色画布的眩光，也提供开始作画的基本色调。
2. 使用 3B 铅笔，将描绘物的基本形状画出来，无论是山、天空或一束花。
3. 准备调色板。在调色板放上你看到的颜色，使用补色与色环为辅助。
4. 先画上基本颜色，例如钴蓝色的天空或绿色的原野。
5. 制造出色彩和谐。使用调色板开始按照眼前所见来混合颜色。开始在明显的色块区域一点一点地厚涂颜料，然后用其他较浅的颜料来调色，在适合的地方大胆地将颜料涂上画布。
6. 动作要快！务必早点起床，才能利用阳光。

色彩就如持续不断的烦恼纠缠着我，连我在睡觉时也不放过。

——克劳德·莫奈

令人耳目一新的事物

法文“en plein air”是“在户外”的意思，指印象派画家在户外写生的习惯。莫奈通常会同时设好四张画布，在一天内的不同时段作画，最后得到四幅在不同时间绘制的相同场景。

大型艺术论战

这场讨论已经持续了好几十年。艺术到底应该要参与政治和社会，还是与政治和社会脱钩？你觉得呢？

要还是不要：论点

这个争论有两个方面：

1. 如果艺术家不愿涉及政治与道德议题，那么他们的作品只能被视为一种放纵的时间浪费，对更广阔的世界并无更高的重要性。

2. 艺术应该只关注永恒之美，带给人快乐，让人能逃避“现实生活”中日常的政治、道德与社会问题。

辩论的正反面

德国哲学家伊曼努尔 · 康德认为，美（因此也包括艺术），必须与道德问题脱钩。艺术的创作除了艺术以外并没有其他原因：“为艺术而艺术”。

俄罗斯小说家列夫 · 托尔斯泰愤怒地反对这样的说法。他在 1896 年撰写的《艺术论》中表示，艺术的唯一功能是传达道德价值，而不是美；艺术只有在表达出道德观念时才具有价值，单纯为了快乐或娱乐而作的艺术并不是真正的艺术。对托尔斯泰来说，如果艺术无法教授并教化道德教训，那就只能被当作装饰品。

法国诗人、作家泰奥菲尔 · 戈蒂耶主张：“除了没有用途的东西以外，没有什么真正美丽的东西。每一件有用的东西都是丑陋的，因为它表达出某种需要。”对戈蒂耶来说，真正的艺术并没有用途——只关乎美。

划清界线

要艺术家只专注于美，是让具有创造力的人闭嘴的有效方式，这些被噤声的人在历史上被看作是反抗权威的角色。然而，当这个世界上有这么多可怕的事件在发生，让艺术家只处理美的做法同样也是有问题的。这是两种完全对立的论点，而在这样的情况下，两种立场都站得住脚。

我们不是必须得选择：尽管与思想学派相冲突，艺术仍然可以继续进步。你又抱有什么立场呢？

艺术就如道德，都有设定底线的成分。
——吉尔伯特·基思·切斯特顿

大局观

毕加索这位艺术家是个很好的例子，他的作品既呈现了政治与道德观点，同时也是纯粹与技术和形式相关的作品。

所有艺术都是毫无用处的。
——奥斯卡·王尔德

超有趣作品
4号

《星月夜》
文森特·凡高

凡高在1889年绘制《星月夜》这幅作品时，正因为严重的抑郁症，在南法普罗旺斯圣雷米的一间精神病院里接受治疗。这幅画完成的一年以后，凡高因为枪伤死亡——不过他的确切死因至今仍是个谜。

凡高的耳朵……

大家都知道凡高左耳的故事。通常听到的版本是，凡高和同为艺术家的保罗·高更吵了一架，在醉酒时一怒之下把自己的左耳割了下来。不过这个故事还有一个不同的版本：两人的争执似乎是因为一位名叫瑞秋的女人到底喜欢谁的问题。当时，两位艺术家都在阿尔勒的一个斗牛场作画。根据传统，获得胜利的斗牛士会把公牛的耳朵割下来当成战利品。在瑞秋受到高更吸引时，凡高把自己的一只左耳给了她，借此表示她是获得胜利的斗牛士。

趣味艺术小知识

《星月夜》这幅作品与天文学家罗斯伯爵画下距离地球2400万光年的涡状星系有着惊人的相似度，罗斯伯爵制图的时间比凡高早了44年。

虽然这幅画描绘的是夜晚的景色，凡高却是按记忆在白天绘制的。这样的技巧替这幅画增添了梦幻般的氛围。

画中的天空更像是烟花表演，而不是法国乡间宁静的夜晚，这一点暗示了凡高在绘制这幅作品时的精神状态。这幅画是画家忧虑情绪的投射，满是幻觉与怀旧的想象，还是说他单纯只是试图以能吸引注意力的方式来画画呢？

画中描绘的是从凡高的房间望出去的景象，我们可以看到在奇异漩涡星空下的柏树与成锯齿状分布的普罗旺斯丘陵。然而，画面下方山谷中的村庄却不是圣雷米，甚至不在法国。教堂尖塔与周围的建筑显示它在荷兰：这是对凡高家乡荷兰致意的方式。将两个地方融合在一起，对凡高来说也许有情感上的目的，也增进了这幅画整体上让人陶醉的气氛。

超有趣艺术家

卡西米尔・马列维奇
艺术革命家

19 世纪俄罗斯画家卡西米尔・马列维奇开始把艺术与现实生活分开。他以相当激进的方式，试图连根拔除他画作中涉及现实和图像表述的部分。

马列维奇在莫斯科修习艺术，受到当时立体主义与前卫艺术家的影响相当大。他受到第一次世界大战与俄罗斯政治情势的撼动，认为没有艺术运动描绘出他感兴趣的东西。1915 年，他发表了一份宣言《从立体主义和未来主义到至上主义》，确立了至上主义这一艺术流派。同年，他展出画作《白底上的黑色方块》，一举让他成为俄罗斯前卫艺术的领袖，以及抽象艺术与极简主义的先锋。

趣味艺术小知识

在 1915 年将《白底上的黑色方块》这件臭名昭彰的作品公之于世时，马列维奇宣称，这件作品是“新艺术的面孔”，纯粹创作的第一步。

色彩是绘画的本质，却总是被主题抹杀。
——卡西米尔·马列维奇

不过，这真的是艺术吗？

从房间的另一侧望过去，《白底上的黑色方块》看起来就是一块坚实且难以穿透的漆黑。它代表着内容的终结、颜色的终结，只是一个平坦的表面。那里没有东西可看，迫使观看者思考虚无与永恒。黑色的方块就像是具象艺术结束的句点。然而，当你仔细检查这幅作品时，你会发现，它并不只是一整片毫无变化的漆黑，而有许多笔画、点，以及重要的变化。这就是这幅作品精彩之处：如果它是以数学和技术的方式来绘制，它就不能被称为艺术品。然而，因为它的不完美与人性，这幅画反而充满了乐观主义。

大局观

马列维奇是家里 14 个小孩的老大。他在乌克兰长大，一直到 12 岁才开始接触艺术，不过他小时候确实也喜欢做点刺绣。

超有趣运动

立体主义
现代艺术的基本构成

立体主义的先驱者寻找的是在平面画布上描绘立体物品的新方法，而这样的过程帮助他们替许多 20 世纪的现代艺术运动铺平了道路。

> 立体主义这种艺术，描绘的是由想象而非感知现实的元素所构成的原创性配置。
>
> ——纪尧姆 · 阿波利奈尔

拆解视野

在爱德华 · 蒙克与表现主义艺术家忙着将自己的情绪感受画上画布的时候，在巴黎的巴勃罗 · 毕加索与乔治 · 布拉克比较关心该怎么“拆解”各种描绘对象，尤其是脸和乐器，然后将这些被拆解对象重新排列在画布上。拆解之后，就出现了同时从多个角度观察同一物体的效果——看来格格不入，却也相当有效果。立体主义是 20 世纪第一个抽象、前卫艺术运动，它跳脱了过去艺术家坚持了 400 年的透视原理，形成另一个重要的艺术流派。立体主义虽然出了许多世界上最畅销的版画作品，本身并没有持续很长时间，不过它确实替超现实主义铺平了道路。之后，艺术的发展就真的开始变得越来越酷了……

立体主义的两个阶段

1. 分析立体主义

以这种风格来说，艺术家会研究物品（就以小提琴为例），将它分解成不同的区块。接下来，他们会从不同的角度来观察这些区块，然后重新建构主体，从不同的视角画下这些区块。

2. 综合立体主义

进入更简单、轻盈与明亮的阶段，运用色纸、报纸与其他材质来代表主题的不同区块，借此表现出艺术家的概念。

立体主义的重要作品

- **《亚威农少女》**，巴勃罗·毕加索，1907 年
- **《骑马的女人》**，让·梅钦赫尔，1911 年至 1912 年
- **《下楼梯的裸女，第二号》**，马歇尔·杜尚，1942 年
- **《男子与吉他》**，乔治·布拉克，1914 年
- **《三个音乐家》**，巴勃罗·毕加索，1921 年

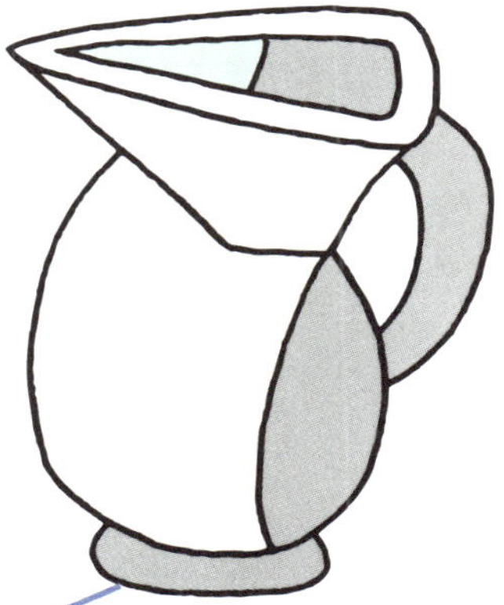

巴勃罗·毕加索
20 世纪的传奇人物

超有趣艺术家

毕加索的创造力、创作能量、在绘画素描与雕塑上的天赋、对中产阶级价值观的排斥、政治观点与高度的生产力，让他成为有史以来最伟大的艺术家之一。

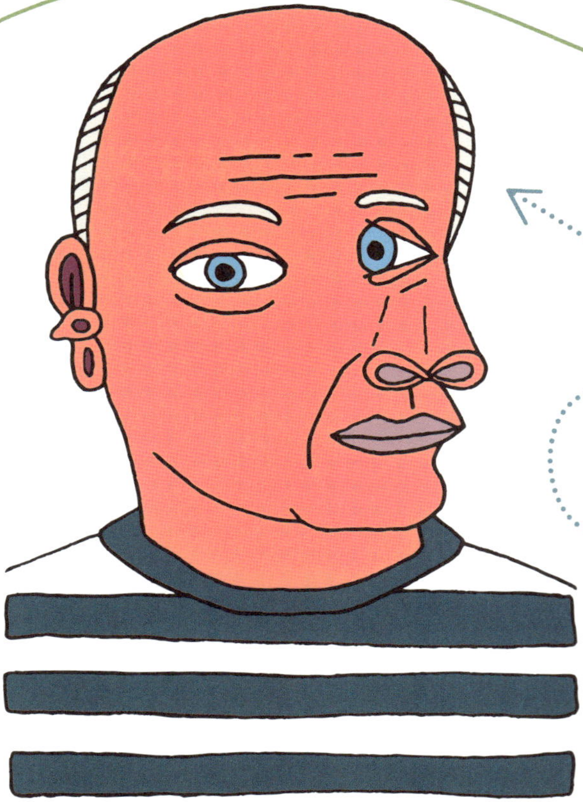

毕加索小知识——你有多了解他？

□他小时候会说的第一个词是“铅笔”。

□他父亲在他 7 岁的时候训练他画画，他在 9 岁时完成第一幅作品。

□ 15 岁时，他第一天就通过了马德里皇家学院为期一个月的入学考试。

□毕加索在 1901 年搬到巴黎，并很快就开始成名。（虽然他在这个时期生活贫困，甚至得烧掉旧画作才能取暖！）

□ 1909 年左右，毕加索在与布拉克合作时创造了立体主义，这种极具争议性的风格也成为他的特色。

绘画不是为了装饰房屋而发明的。它是防御与攻击敌人的武器。

——巴勃罗·毕加索

趣味艺术小知识

毕加索的遗言是："为我举杯，为我的健康举杯，你们知道我不能再喝了。"

小时候，母亲曾跟我说："如果你从军，你将成为一名将军；如果你做修道士，你将成为教宗。"但我做了画家，最后成了毕加索。

选一幅你喜欢的毕加索名作——毕加索最著名的作品

- 《亚威农少女》，1907 年
- 《裸体、绿叶和半身像》，1932 年
- 《睡颜》，1932 年
- 《梦》，1932 年
- 《蓝色裸体》，1902 年
- 《朵拉与小猫》，1941 年
- 《坐着的女人（玛丽·泰瑞莎）》，1937 年
- 《老吉他手》，1903 年
- 《镜前的少女》，1932 年
- 《三个音乐家》，1921 年

大局观

毕加索拒绝参加两次世界大战和西班牙内战。他的大型壁画杰作《格尔尼卡》，是对佛朗哥将军在 1937 年轰炸巴斯克城的政治表态。几年以后，一名盖世太保（纳粹德国的秘密警察）在纳粹占领巴黎时骚扰毕加索。这名警察指着《格尔尼卡》的照片问毕加索："这是你做的吗？"毕加索回答道："不，是你做的！"

传递讯息
揭示、解码、传达

艺术的要点是什么？对我们大多数人来说，艺术是传递与表达一个视觉讯息，这个视觉讯息能以直接简洁的方式沟通我们的情感。

这些讯息能以三种方式来传送：

1 **表意的方式**

初级来源，通过声音、脸部表情或肢体语言。

2 **具象的方式**

次级来源，通过绘画、素描、书籍与照片。

3 **机械的方式**

通过电话、互联网、电视、广播与电影。

艺术通常是具象的：它是将一则初级讯息通过艺术家传达到次级媒体上。

大局观

随着年龄的增长，人们通常越来越不愿意承担风险，因此会发展出常规或习惯，并刻意遵守。艺术与表述也是如此：成人通常需要有人向他们解释一件艺术品的意义。相对地，孩童的感知方式比较直接，不会拘泥于惯例。因此，孩童通常能做出具有高度创造性的表现形式，比成人更适合艺术家与艺术评论的角色。

媒介就是讯息

讯息可以用许多不同的方式来表现。一则报导可以写在一张纸上，在广播里被报道出来，或是输入到计算机里。我们把这些包括艺术品、录音带、杂志、电影、MP3 档案、书籍与指示牌等在内的传达方式，称为媒介。

在 20 世纪 60 年代中期，传播理论家马歇尔·麦克卢汉以“媒介就是讯息”这句名言，引起众人对媒介的注意。麦克卢汉想要表达的是，表述方式的选择对于讯息所造成冲击的影响之大，以至于获选媒介的重要性可以说是和讯息本身相当。

超有趣运动

超现实主义 开启无意识的大门

超现实主义容易让人觉得是一种“怎么样都行”、无秩序可言的风格，不过要认真思考超现实主义，应该通过它从法语翻译而来的意思：“超越现实主义”。

趣味艺术小知识

超现实主义运动始于 20 世纪 20 年代，由诗人安德烈 · 布勒东领导，是一种通过潜意识与梦境而非逻辑思维来寻找世界真相的方法。

欢迎来到奇异怪诞的世界！

超现实主义开启了一个光怪陆离的年代，不过这个活动本身其实是从两个非常重要且相当严肃的事件衍生而出的，而且这两个事件的影响范围大体上遍及通俗文化：

1. 西格蒙德 · 弗洛伊德对非理性与无意识心理的精神分析研究开始流行。
2. 第一次世界大战的余波，让超现实主义者否定启蒙文明与人类理性等主导思想的重要性，并沉溺于人类潜意识的古怪环境中。

大局观

超现实主义者的艺术作品与在他们之前的艺术作品非常不同：这些作品可以包括各种拼贴、绘画、摄影与影片，通常以梦想、幻想、性欲、随机性与禁忌话题为主题。

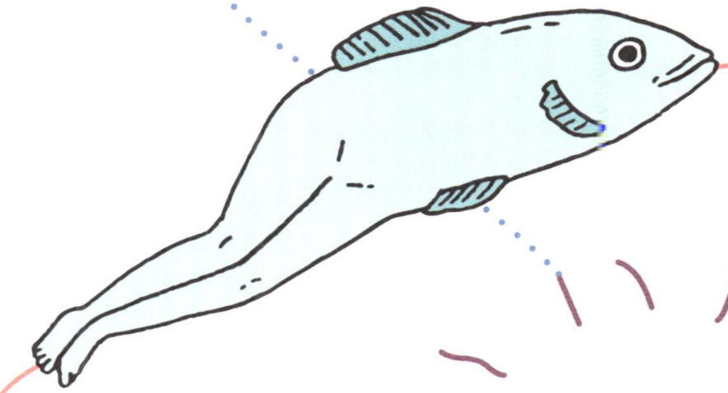

解放你的思想

安德烈·布勒东坚决主张，超现实主义并不只是一种新形态的创造性表达，而是通往心灵完全解放的道路。要获得自由的方法，是通过自由联想来开启潜意识。因此，超现实主义者尝试了许多古怪的技巧，例如自动书写，也就是让你下意识地在纸上写字，借此帮助他们创作更纯粹的艺术。

让我们
超超现实主义！

萨尔瓦多·达利 手绘的梦境照片

超有趣艺术家

总是带着两撇经典翘胡子的达利，是一位想象力非常丰富的艺术家。他以奇特的超现实风格绘画闻名于世。珍宝珠棒棒糖的商标也是达利的设计。

趣味艺术小知识

萨尔瓦多·达利在有生之年创作了超过1500幅画作，其中有许多作品都包括了融化时钟、大象、蛋、蚂蚁、蜗牛与蝗虫的重复意象。

达利这家伙到底是谁？

达利出生于他哥哥死去的九个月后，他的父母帮他起了和他哥哥一样的名字。这件事对达利的影响相当大，让他在成长的过程中，一直认为自己是哥哥转世而来。达利因此对死亡与腐朽的概念相当痴迷，而这些概念后来也理所当然地出现在他的画作上。

撇开这比较黑暗的一面，达利自小就非常有自信。十岁时，他宣称自己是个天才，并开始画画。他从印象主义风格开始入门，然后在立体主义和达达主义都磨蹭了一阵子，后来才找到超现实主义的大门。他从来不吝于表达自己的意见，却也因此在马德里被一所美术学院退学，因为他告诉老师，他比他们所有人都聪明。1927年，他搬去巴黎，加入了安德烈·布勒东的超现实主义运动。他最棒的作品是在这个时期创作的，也就是那些众所周知、风格奇异梦幻的画作。1934年，由于疑似迷恋佛朗哥将军与希特勒，达利被超现实主义团体除名。1940年，他离开巴黎前往美国，并在美国享受名人待遇：他被称为“超现实主义先生”，过着他一直想象的那种生活，一个受人称赞且成功的艺术天才该有的生活。在1948年回到西班牙的时候，他已经成为一个家喻户晓的名人。

记忆的永恒（1931年）

晚上招待客人以后，达利在桌旁坐了下来，看着桌上软趴趴、半融化的卡门贝尔奶酪。突然间，他想到了融化时钟的概念——这个概念通常被认为是受到阿尔伯特·爱因斯坦开创性的物理学理论所启发——便马上动手画下这幅他最受珍爱的杰作。

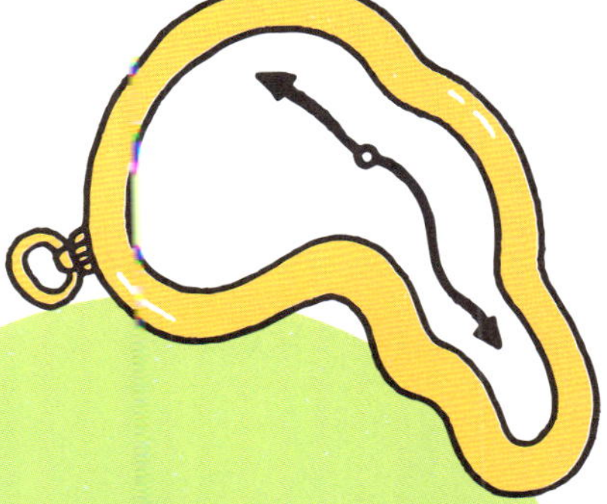

每天早上一醒来，我都会体验到一种极致的快乐：身为萨尔瓦多·达利的快乐。而且我会惊讶万分地问我自己：“他今天又会做些什么惊人的事情呢？”这就是萨尔瓦多·达利。

——萨尔瓦多·达利

“超现实主义有破坏性，但是它只会破坏它认为会限制我们想象的枷锁。”

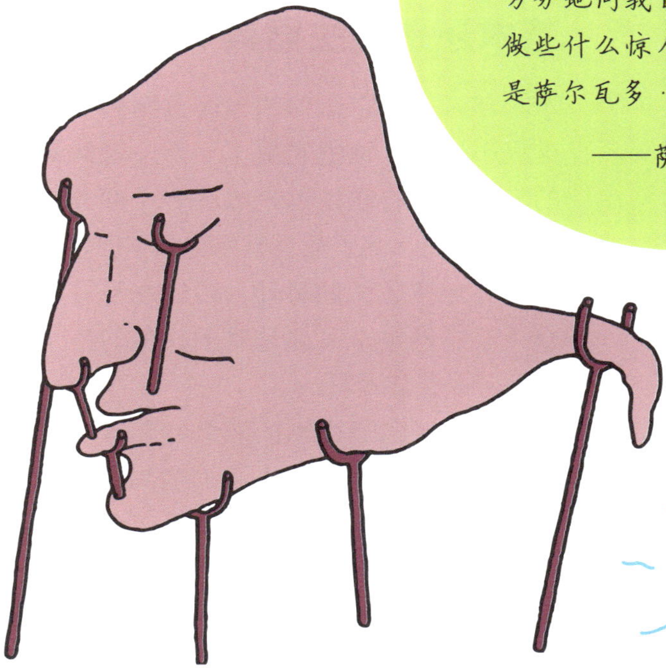

“追随你的梦想，无论他们有多奇怪。”

超有趣作品
5号

《泉》
马塞尔·杜尚

好吧，它是个小便池。不过它真的只是个小便池吗？马塞尔·杜尚的《泉》是现代艺术中的一个决定性作品，这件作品带来的冲击，至今仍然影响着所有领域的艺术理论与实践。这么一个普通的瓷小便池，到底是怎么独立引领艺术革命的呢？

艺术还是卫生器具？

1917年，杜尚在纽约的一间五金店找到了这只小便池。他把它买了下来，带到自己的工作室，将它倒过来放在一个底座上，签上自己的大名，然后宣称这是件艺术品。那是有点孩子气的举动，目的在于煽动观众，不过他也有可能是对的。他的这个小便池可以是艺术吗？

杜尚这个源自恶作剧的概念在艺术界引起轩然大波。他将这件作品命名为《泉》，递件给美国独立艺术家协会报名参加年度展览，不过协会以猥亵和抄袭的理由拒绝了这件作品（抄袭是因为物件本身是水管工而非艺术家制作的）。

大局观

《泉》的原版消失了，不过这对杜尚来说并不是问题，因为他只要再跑一趟五金店买一个就好。目前杜尚的《泉》在全世界共有15件，全部都是那件非手工原创作品的手工复制品。

趣味艺术小知识

杜尚的传记作家表示，《泉》的原版因为有人误把它当成垃圾而被丢掉了！

你觉得呢?

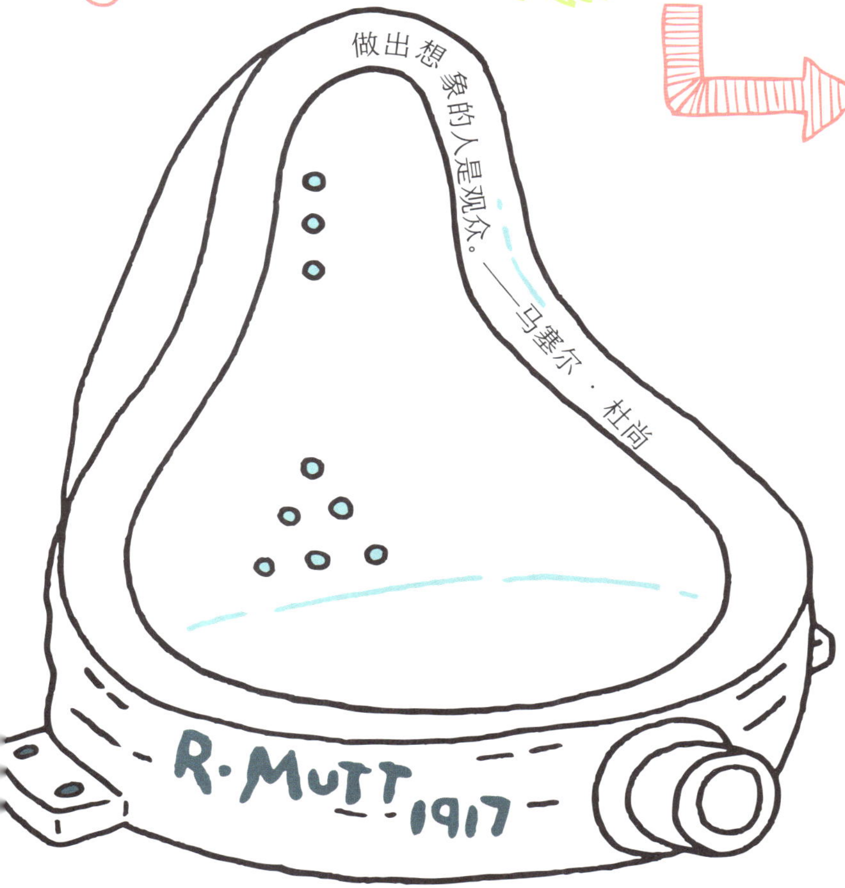

原创的小便池

杜尚将一件功能性物品称为艺术，借着把它从有用途变得没用途的举动，提出许多相当深奥的问题。

- 艺术家到底有什么权力，能够宣称某件东西是艺术?
- 各个组织又有什么权力来判断?
- 一件艺术品到底有些什么基本特征?

艺术品一定要出自艺术家之手，还是说预先制

- 作好的物品也可以是艺术?

无论《泉》到底是不是艺术品，它的存在引发了很多值得探讨的问题，却没有提供答案。自此以后，许多艺术家都纷纷仿效这样的手法。

艺术可以改变你的生活吗？

你有没有在美术馆里感到困惑的经验？你曾经纳闷，为什么旁边这位仁兄会这么专心地盯着溅上画布的那片颜料？你为什么不如他们享受这个地方？下面让我们来讲讲，到底要如何尽可能地欣赏艺术。

找到对你而言真实的意义。

1.对自己的看法有信心

不论你是否觉得自己的看法可能很蠢或很无知，它们都还是很重要。当你听到有人说哪幅画作、哪首诗或哪首歌"改变了他们的生命"时，会产生怀疑是很自然的，尤其是你在这些人经历这个所谓深刻体验之前就已经认识他们，却没有感觉到任何改变的时候。

为了让自己看起来有文化有见地，我们应该要懂点艺术，并且能够表达出自己对艺术的看法。但如果我们看到的只是地板上的一堆砖头，或是白色背景上的一个黑色正方形，那我们该怎么办呢？

没有人想要让自己看起来很笨，或觉得自己很蠢，不过许多人一到美术馆，就会变得缺乏信心又不自在。有些人假装自己对某个主题非常了解，其实一点都不懂，有些人在自己对于某个主题一无所知的时候，则会抵制它，认为它不重要。上面这两种反应，都无法帮助我们更接近我们的深刻体验。如果你不了解某个东西，最好就说自己不懂，或是什么都不要说！然后，用这个经验增长自己的见识，如此一来，等到你下次来到同样的地方，就能记起自己学过些什么。

如果你听到内心有个声音说"你不会画画"，那么你就该想尽一切办法去画画，如此一来那个声音就会消失了。

——文森特 • 凡高

想象力比知识更重要。

——阿尔伯特 • 爱因斯坦

你的艺术座右铭：参与才能了解，拒绝就是受损。

2.你的思想有多开放？

并非所有艺术都是伟大的，而且你也不是唯一一个会感到困惑的人。即使是艺术评论家，在面对被视为杰作的艺术作品时，也会有“不了解”的时候。你面前的那幅画，可能根本就是垃圾。因此，让我们先把自我意识的恐惧放一边，开始观看并进一步了解。

许多艺术品都是刻意要测试我们，看看我们的思想有多开放，因此你应该要有耐心，看看到底会发生什么事。哲学家亚瑟 · 叔本华曾说，“我们应该让艺术杰作如重要人物般地给我们带来慰藉——静静站在他们前面，等他们跟我们说话。”

3.教育与诠释

与艺术品互动，了解艺术家、作品背后的概念、历史脉络与符号旨意。如果找不到这样的信息，那么就尝试着诠释。让自己想想你到底在看什么。也许用斜视、眯眼或凝视的方式，看着作品中其他人并不觉得重要的地方。如果我们假设在那里的每一件东西都是有理由的，那么这也包括所有的细节在内。那里有故事吗？主题是什么？那里有任何象征符号吗？这件作品怎么制作的？作品陈设的地方对作品本身有影响吗？为什么艺术家会选择使用那些颜色或色调？

等到你回答了上面这些问题，你可能会发现自己还挺喜欢这件作品的。你甚至可能发现自己似乎感受到了一个温暖但模糊的深刻艺术体验。

超有趣作品
6号

《形象的叛逆》勒内·马格里特

勒内 • 马格里特是比利时的超现实主义画家，他最重要的作品之一，画的是一支烟斗。然而在这支烟斗下，却出现了“你看见的不是烟斗”的文字。如果不是烟斗，那它是什么呢？

虚拟现实

正确的答案是，它是一种表现形式，一支烟斗的画像：烟斗的画像并不是真正的烟斗。同样的道理也可以用于“烟斗”一词，“烟斗”这个词也不是真正的烟斗，只是一个代表真正的烟斗存在（或不存在）的字眼。这幅画表现出对于日常现实的质疑，意味着往往我们坦然接受的证据，可能是假的或虚幻的。它关系到的是语言与图像、真实与虚假。

由于绘画、语言与照片都是表现初级现实的次级手法，它们可能是靠不住的。马格里特想提醒我们，不要将表现形式与现实混淆。从真实与虚假的角度来讨论表现形式，是鲁莽的做法。然而，我们仍然可以说，马格里特画作里的形象看起来像是一支烟斗，说它不像就是在说谎了。虽然表现形式可以是不可靠的，它还是执行了一种基本功能：我们都需要一种记号、符号与文字的语言。

趣味艺术小知识

马格里特的烟斗绘制于1928年，一发表马上就成为经典。然而，他还有其他著名作品，如《人类之子》《戈尔孔达》《地平线的神秘》等。去看一下吧！

艺术唤起了神秘，没有它，世界就不会存在。

——勒内·马格里特

艺术为表现形式

大局观

马格里特的绘画作品于1933年在布鲁塞尔美艺厅初露头角，受到萨尔瓦多·达利的赞赏。三年以后，马格里特的作品在同一个地方展出，他更进一步地发展了词汇与图像混淆的主题，把一张裱上金框的奶酪图片放在一个透明玻璃罩里，并将之称为《这是一片奶酪》。

世界上最重要的美术馆

世界上有许多非常棒的美术馆与博物馆，里面收藏了人类有史以来最伟大的艺术创作。

英国伦敦泰特现代美术馆

每年超过 500 万参观人次

2000 年，以泰晤士河河畔一个废弃大型发电站为基地的泰特现代美术馆开幕，并马上成为参观人数最高的现代美术馆。这间美术馆的收藏品来自世界各地，整座美术馆有七层楼，除了规模庞大的永久展览以外，也经常举办各式各样的特展。泰特现代美术馆也是伦敦最受欢迎的地方之一。

法国巴黎卢浮宫

每年超过 900 万参观人次

卢浮宫是世界上参观人数最多的美术馆，这座建筑物于 1190 年建造，原本是防止诺曼人侵犯巴黎的大型军事要塞。1358 年，查理五世将它改造成一座皇宫。在路易十四搬到凡尔赛宫以后，这座建筑物就闲置了下来，一直到法国大革命之后，才成为收藏皇室艺术的美术馆，向公众开放。卢浮宫之所以成功的一个重要因素，在于它收藏了《蒙娜丽莎》这幅画，而且建筑物的中央还有一座酷毙了的玻璃金字塔。

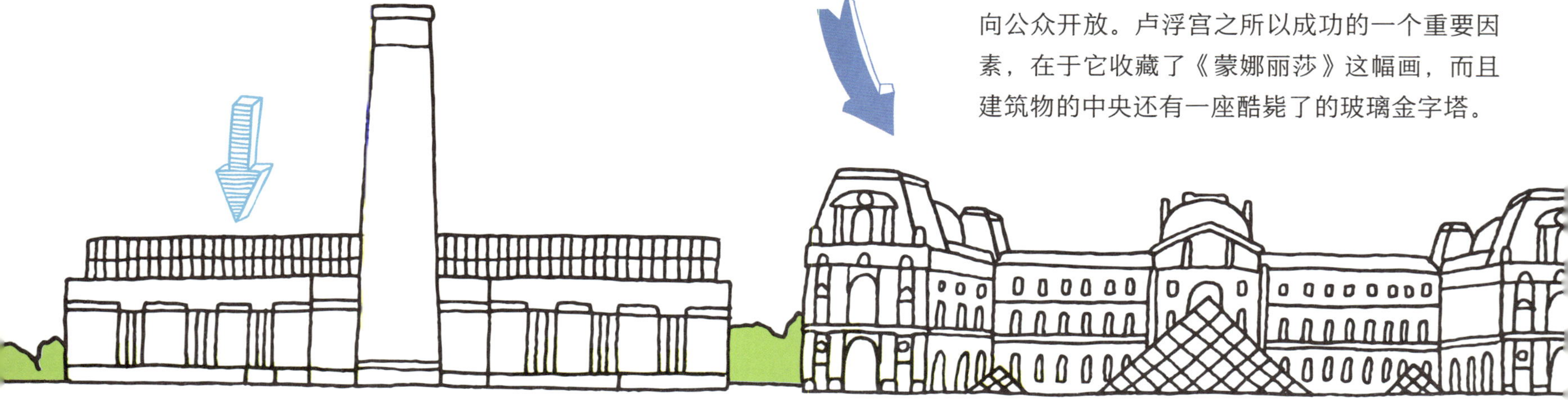

美国纽约大都会艺术博物馆

每年超过 600 万参观人次

这间博物馆简称大都会美术馆，由一群艺术家与企业家于 1870 年共同创设。刚开始的时候，它只有为数不多的欧洲绘画收藏，不过现在的收藏横跨数世纪，从早期伊斯兰艺术与古埃及文明，一直到当代作品，都包括在内。这间博物馆一直都保有着精明的商业头脑：该馆政策言明，馆方可以将较不知名的收藏卖出去，借此筹募资金购买知名杰作。

意大利佛罗伦萨乌菲齐美术馆

每年超过 170 万参观人次

这是美第奇家族用来存放家族艺术收藏的地方，其中包括卡拉瓦乔、丢勒、米开朗琪罗、拉斐尔与提香等人的作品，它在 1591 年开放，是世界上最古老的公共博物馆。这间美术馆非常大，展品的数量与规模非常惊人。提香的《乌比诺的维纳斯》、卡拉瓦乔的《美杜莎》与波提切利的《维纳斯的诞生》都是乌菲齐美术馆的收藏。美第奇家族最后的继承人安娜 · 玛丽亚 · 卢多维卡慷慨地将家族收藏捐了出去，与意大利政府达成法律协议，让乌菲齐的艺术收藏永久成为佛罗伦萨市的文化遗产。

弗里达·卡罗
艺术与痛苦

> 我画我自己，因为我常常独自一人，也因为我是自己最了解的主题。
>
> ——弗里达·卡罗

弗里达·卡罗是南美洲最受重视的超现实主义画家。她出生于墨西哥市，一生苦难、悲剧不断，最后因为自画像而成为国际知名的画家——不过让人遗憾的是，她一直到身后数十年才成名。

趣味艺术小知识

1925 年，弗里达·卡罗（1907 年—1954 年）就读于墨西哥国立大学，当时的她是名前途被看好的医学院学生。某一天，在她搭乘公共汽车从学校回家的路上，汽车和有轨电车相撞，造成数人死亡。这起意外事件也让卡罗重伤，脊椎、锁骨、肋骨、骨盆和腿都断了。随之而来的是几个月的住院生活与手术，她也在这段时间开始作画，让注意力从身体的痛苦上转移，也帮助她排解卧床不起的无聊情绪。

弗里达的感觉

弗里达谎报自己的生日，说自己生于墨西哥革命的那一年，所以我们最好直截了当地了解关于她的资讯。下面是我们卡罗的生平列表：

□出生于 1907 年，而不是她声称的 1910 年。

□弗里达 · 卡罗是超现实主义画家，以自画像闻名。

□领导超现实主义运动的艺术家安德烈 · 布勒东，将卡罗的作品形容成“绑了缎带的炸弹”。

□在卡罗的作品中，墨西哥文化与传统是很重要的体裁与主题特征。

□卡罗的许多作品都与她和她丈夫——墨西哥知名画家迭戈 · 里维拉之间的关系，以及改变她一生的有轨电车事故有关。

□卡罗的自画像融合了基督教与阿兹特克等风格的意象，还含有不少欧洲艺术知识。

□卡罗最受尊崇的一幅自画像是《毁坏的圆柱》。在这幅作品中，她支离破碎的身体被紧身胸衣拢在一起，借此表现艺术家内心的痛苦。

卡罗画了许多自画像，以及描绘她的生活、家庭与经验的作品。这些作品全都受到墨西哥民间艺术与大型壁画的影响。卡罗后来与墨西哥最有名的艺术家、壁画家迭戈 · 里维拉结婚，不过两人的关系非常紧张，冲突不断。

大局观

卡罗代表作品

- 《穿天鹅绒连衣裙的自画像》，1926 年
- 《戴着荆棘项链与蜂鸟的自画像》，1940 年
- 《桃乐丝 • 黑尔的自杀》，1938 年
- 《与法里尔医生肖像一起的自画像》，1951 年

对艺术常有的猜疑

除了满是艺术品以外，美术馆也充斥着参观者的空谈。我们在这里针对你在每间美术馆都听得到的四个最常见的句子（与反应）进行拆解分析，借此突显出一般人可能在未真正了解艺术家意图的情况下，欣赏或驳斥艺术的普遍方式。

“那个我也做得到！”

你可以随口说，你（或你家的五岁幼儿）可以做得更好，然而，除非你真的实际动手，否则你永远只是旁观者，不是艺术家。就艺术而言，行动是关键——做与制作。伟大的艺术家让困难的事情看起来很容易——你确定你真的做得出来吗?

你必须要创造。

——雷蒙德·洛伊

“我不太懂艺术，不过我知道自己喜欢什么。”

艺术总是试图让观众以新的方式思考。如果你用了这个俗套的陈词滥调，听起来就好像你不接受新的想法，甚至不愿去理解艺术作品。当然，你可以在看过以后说自己不喜欢（这是被允许的），不过千万不要在试图了解之前就抵触它。

“如果这东西卖到600万美元，它一定是艺术！”

人们常常会把金钱价值与艺术价值画上等号。有些艺术作品的价格很高，是有充分的理由的，这主要是因为它独一无二。然而，世界上确实有一个更关注赚钱而非艺术价值的全球性商业艺术产业——那是钱比（艺术）感觉还多的人在参与的。

“那不是艺术，它太丑了。”

新闻快报：艺术不一定要美。好吧，很久很久以前，艺术因为美而受到重视。试着想想一张伊丽莎白一世的画像：画家总是会展现出女王最好的一面，因为他害怕被砍头。然而，那样的日子已经一去不复返了。无论美丽与否，艺术要做的应该是启发你思考。

现代艺术——我也做得到！是啊，不过你并没有去做。

——克雷格 • 丹劳尔

抽象表现主义
全部发泄出来

超有趣运动

抽象艺术的目的，并不是要直接表现出人或物，而是关乎形式、色彩与感觉。康定斯基将抽象视为一种解放艺术的方式。在整个 20 世纪，出现了许多类型的抽象风格，以及大量的实验与表现。

趣味艺术小知识

当时（1946—1966 年）重要的表现主义画家有瓦西里 · 康定斯基、彼埃 · 蒙德里安、威廉 · 德 · 库宁、杰克逊 · 波洛克、李 · 克拉斯纳、马克 · 罗斯科与弗朗茨 · 克莱恩。

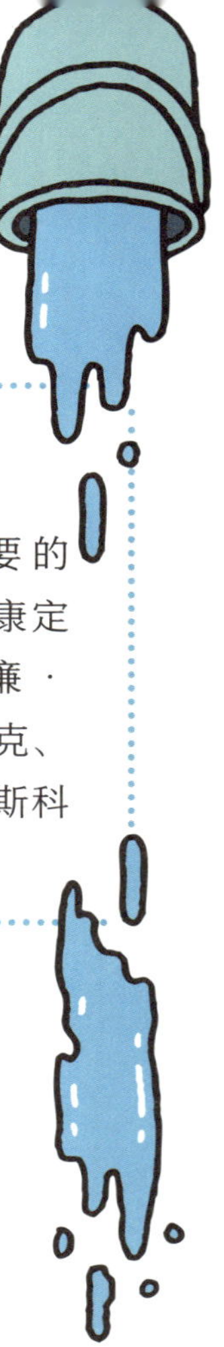

溅得到处都是

与试图捕捉自然光大气效应的印象派画家相形之下，表现主义画家想要传达的是他们的感受。对艺术来说，这是一种全新的做法，意味着绘画不再需要记录外部世界，而是可以展示心灵的内在运作。

抽象表现主义是通过绘画与颜色来表现个人情感的行为。在第二次世界大战以后，由于美国纽约画派艺术家接受了这种激进强烈的风格，因而成为一个明确的艺术运动。20 世纪 40 年代晚期是动荡的时期：人们警惕到即将来临的冷战。激进狂野的抽象艺术，似乎反映出当时的不安情绪。

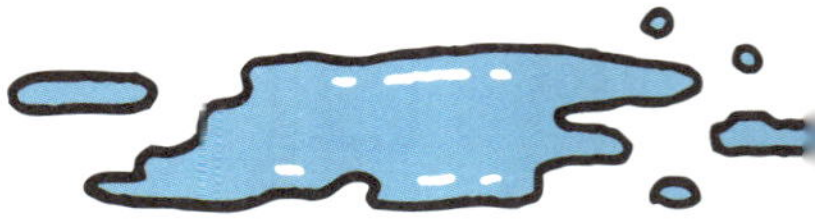

事实胜于雄辩

抽象表现主义可以分成两种形式：行动绘画与色域绘画。

行动绘画将颜料扔到画布上，或者颜料从罐子里滴下来、被大笔挥洒或涂抹。这种类型的绘画，是要人不假思索地动手，不要有任何意图或计划。创作成果通常是凌乱不已的颜色，不过创作的行动与过程比成果来得重要。杰克逊 · 波洛克是最著名的行动绘画画家，与波洛克齐名的还有德 · 库宁与弗朗茨 · 克莱恩。

色域绘画画家则以比较冷静温和的手法来面对同样的概念，在大块画布上画上大面积的色彩。这类具有反省、沉思意味的作品，就好像是第二次世界大战之后世界动荡的解毒剂。

大局观

抽象表现主义的冲击造成艺术界的地理位移。纽约终于超越巴黎，成为全世界当代艺术的重镇。

超有趣作品
7号

《薰衣草之雾：第一号》
杰克逊 • 波洛克

杰克逊 • 波洛克的滴画技法，是将一大块画布钉在地上，然后用棍子和刷子以喷溅、滴、弹和浇灌的方式上色。你千万别在家里尝试，除非你想要搞得一团乱。

巫师波洛克

波洛克会拿着一桶颜料和画笔在画布上移动，就好像在表演部落舞蹈一样；他选择这样的方法，以避免任何具象的表现。波洛克对原始艺术、神话与精神仪式很感兴趣。他把自己视为艺术创作流经的通道，表示“我在作画时，对自己在做什么并没有自觉。画作有自己的生命。我试着让它通过我表现出来。”

波洛克激起许多人的想象，也迅速成名致富。波洛克同时也是个麻烦缠身的人，一辈子都受到酒瘾困扰。他在 44 岁时，因为酒驾车祸意外身亡。

一滴一滴！

再过个70年，我想我会成为一位优秀的艺术家——生活本身就是艺术——我指的是过生活。

——杰克逊 • 波洛克

2006 年，波洛克 1948 幅作品的其中一幅，成为艺术史上最昂贵的艺术作品，被一位买家以 1.4 亿美元的高价买下。不过这个纪录已经被保罗 · 塞尚的《玩纸牌者》打破。

《薰衣草之雾：第 1 号》是波洛克所创作的规模最大的作品，而且他画这幅画的动作很快，在 1950 年只用一个夏天就完成了。

波洛克狂野倾倒颜料的行为，被视为对 20 世纪 50 年代的议题如飞机、收音机和对原子弹的恐惧等的回应。

原创性
有什么新点子吗？

无论你觉得自己多有独创性，你所想到的每一件事，都已经有人做过了。不过你不用担心——在艺术中没有关系。你的做法，才是它与众不同的原因。

> 杰出的艺术家模仿，
> 伟大的艺术家盗窃。
> ——巴勃罗 • 毕加索

站在巨人的肩膀上

如果你打算成为艺术家、设计师或从事任何创意工作，你必须要对自己的想法和原创性现实一点。本质上来说，你不会想出什么新点子的。不过你也不要因此感到消沉——优秀的艺术家知道，所有创造性的工作都建立在从前的基础上。

那么，到底有什么好烦的？好吧，作为一位艺术家，你还是可以分享你的能力与想法。而且时机很重要——你也许能比在你之前的任何人更有效地表达一个想法。或者，你也许能够以前所未有的方式结合某些技巧。因此，虽然你的创作的本质可能不具有“原创性”，你对于事物的看法，是绝对值得探索的。

你认为什么是真正的艺术原创？

向敬意表示敬意

如果没有任何东西是原创的，所有艺术家在做的事情，就是重现过去的一切，那么他们的所作所为，不就只是剽窃吗？这取决于艺术家的意图。如果他们采用了他人的想法，却把它当成自己的来呈现，那么就是剽窃，然而如果他们只是从中获取灵感，以一种经过深思熟虑的方式来重新表现，那么就可以被视为一种巧妙的致敬。不过归根究底，你还是得做出这件你想做的艺术品才行。

那是
我的想法！

从前都有人做过了

有些艺术家会贯注所有精力，创造出一件让人惊奇的原创作品，对这件作品怀抱着庞大的所有权归属与自豪感，到头来却发现别人已经有过这样的想法。因此，在看到“原创”这个字眼的时候，要有点警觉心。艺术家当然要保护作品免遭剽窃，不过也应该意识到，声称自己对某个“想法”拥有所有权可能没什么意义，而且声称任何东西是完全的原创，绝对是错误的。

超有趣运动

波普艺术
成名 15 分钟

波普艺术是一种喧闹且色彩鲜明的艺术运动，于 20 世纪 50 年代末期突然在美国有了爆炸性的发展。

流行走向美国

20 世纪 50 年代是文化快速变革的时期：第二次世界大战结束，商业正在蓬勃发展。人们发现自己身处富饶之地，经济发展带来了工作、收入、消费热潮等，批量生产与广告当然也应运而生。对这些活动而言，波普艺术是合乎逻辑的回应，也是一面讽刺意味十足的镜子。罗伊 · 利希滕斯坦精心复制了当时的印刷技术，这些印刷品的图像由一系列点构成，不过每个点都是他手绘上去的。安迪 · 沃霍尔运用了最受欢迎的媒体图像与他能够想到的消费品，克拉斯 · 欧登伯格做了巨大松软的汉堡模型，贾斯培 · 琼斯则以手绘的美国国旗而闻名。

趣味艺术小知识

波普艺术家使用的主色调为黄色，红色与蓝色。相对于其他艺术运动，波普艺术的色彩并不会反映出艺术家对世界的内在反思，反而与流行文化的傲慢有关。

大局观

1952 年于伦敦成立的“流行团体”，被视为波普艺术运动的先驱。志趣相投的画家、雕塑家、建筑师、作家与评论家聚集在一起，挑战艺术的传统观点。共同创办人爱德华多 · 包洛奇在 1947 年创作了一件拼贴作品（《我是个有钱人的玩物》），“pop”这个字眼第一次出现就是在这幅作品中。

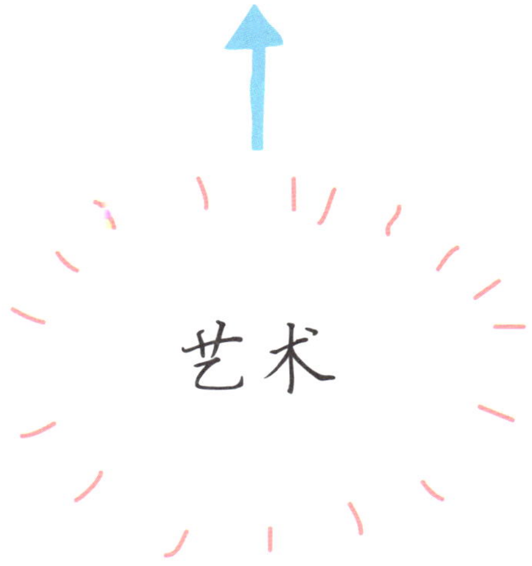

发人深省

波普艺术以拼贴、物品或雕塑的形式出现，或是在画布上精心涂抹上油彩。它将低层次文化带到艺术的领域，以批量产品和广告的媚俗美学为恶搞对象。

有些评论家认为，波普艺术并不是“真正的”艺术，不过它确实是有很多话要说的运动，也是一种新形态的表达方式。波普艺术家试着寻找让人们停下来反思的方法。消费主义的商业文化与美国梦，真的能够提供社会所需的一切吗？

安迪 · 沃霍尔
波普艺术之王

在横跨将近 40 年的职业生涯中，安迪 • 沃霍尔是 20 世纪富有远见的创意力量，他的作品至今仍不停地受到戏仿、模仿与复制。

趣味艺术小知识

安迪 · 沃霍尔第一份正当的工作是 *Glamour* 杂志的作家。他很放肆地将自己发表的第一篇文章命名为《在纽约，成功是一份工作》。

波普艺术偶像

安迪 · 沃霍尔自小体弱多病，经常需要卧床休养。他大多利用静养的时间画画，以及欣赏自己的电影明星照片收藏。

他在纽约踏入艺术这一行的时候，以商业艺术起家，替杂志、广告与唱片封面制作图像。20 世纪 50 年代期间，他开始在纽约展示作品，后来也在洛杉矶展出。

1964 年，沃霍尔将纽约的一间仓库改成艺术工作室兼聚会场所，将它称为“工厂”，在此大量制作他的艺术作品，也拍摄影片。这个地方很快就成了派对的热门场所，吸引了当地最时髦最富有的名人。

沃霍尔在 20 世纪七八十年代继续创作，不过放慢了脚步，然而，在 1987 年，他却因为一场例行手术突然离世。

艺术家是生产人们不需要的东西的人。

——安迪·沃霍尔

大局观

1968年，安迪·沃霍尔被瓦莱丽·索拉娜斯射伤。索拉娜斯曾将一个剧本交给沃霍尔，希望沃霍尔能将之拍成影片，不过沃霍尔把剧本搞丢了，也未曾向索拉娜斯道歉。后来，沃霍尔的追随者向索拉娜斯提供了一份出版协议，索拉娜斯却因此认为沃霍尔企图剽窃她的作品，因此买了把枪，朝沃霍尔开了三枪。沃霍尔身受重伤，曾被判定死亡，不过被救了回来，并很幸运地康复。

现代静物

沃霍尔的伟大发明，是他利用自己周遭的文化来创造艺术。他挪用取自大众媒体的照片，将照片放大，也从广告上撷取图像，复制钞票，并使用来自美国消费者日常生活中的物品。接着，他会重复运用这些平凡的物品，借此让人注意到消费文化，批量生产以及自动化带给社会的非人化效应。

他的作品刻意驳斥了艺术必须要有原创性的说法：他制作了坎贝尔汤罐头的丝网印刷，然后以类似超市货架的方式展示。他最著名的作品，也许是以花哨色彩制作的名人肖像系列。这个系列表现出其作品的矛盾性：他是在挖苦嘲笑这些名人，还是在替他们背书？他是利用他们的名气来抬高自己吗？无论哪一种，名人与上流社会人士都争相排队，请他来制作肖像。

时尚与艺术

时尚与艺术是古怪的一对：他们总是互相调情，一起消磨时间，分手，然后复合。他们的关系很长久，不过就像许多夫妻一样，一讲到钱，就会出现一些糟糕的选择！

> 艺术会制造出丑陋的东西，不过这些东西往往随着时间推移而变得越来越美。时尚会制造出美丽的东西，不过这些东西往往随着时间推移而变得越来越丑。
>
> ——让·谷克多

20世纪60年代受蒙德里安影响的连衣裙

保持真实？

时尚试图以把自己和真实性联系在一起的方式，为它核心的商业性质提供充分的理由。它在任何可能的地方寻找真实性，从公屋的青年文化到夜总会与美术馆：任何新的声音或风格正在发生的地方。接着，时尚就会以偷窃或购买的方式挪用这个场景，然后推出新系列。

艺术与流行音乐偶像 Lady Gaga 的肉片装

别忘了你的手提包

时尚与艺术的结合往往有非常强力的效应。以持续与当代艺术家合作的高奢品牌路易·威登为例：一个极其昂贵的手提包其实只是一种身份象征，用来向他人展示你有钱购买。然而，当路易·威登付钱请艺术家替包包背书，并运用多色图案重新打造风格，比如与村上隆或草间弥生合作，之后就发生了一些不一样的事。拥有一只艺术家设计的包包，不只表示你有钱，更表示你有一定程度的智慧、修养与品味。在奢侈品所具有的全部价值中，艺术性是第一位的。

这件作品的赞助商是……

消费者只是其中之一：他们通过付钱来维持关系。数世纪以来，像艺术家与作家这类创意人士，一直都享受着各界捐助者与赞助者的财务支援。富人支持艺术家的原因有很多：有时是真正的慈善行为，有时是为了提升自己的地位，有时是希望能在天堂获得救赎。

艺术家与捐助者之间的关系通常都很难处理：捐助者一般会希望自己的投资有实质的回报，或是不停地提出要求，一直到文化与商业之间的那条线消失为止。达米安·赫斯特与艺术团体“年轻英国艺术家”（参考第 96 页）的例子，就证明了这种混乱的状况。

马克 • 罗斯科
情感表现主义者

超有趣艺术家

趣味艺术小知识

罗斯科被尊称为色域抽象表现主义画家，不过早期的作品色彩比较丰富，而后期的作品色调则比较阴暗。

马克 • 罗斯科是战后最著名的美国艺术家之一，他拒绝了抽象表现主义的标签，坚持自己的作品代表情感本身，而且往往也不会替自己的作品命名或裱框。

罗斯科生平列表——你知道多少？

为了颂扬罗斯科过分简单化的视界，让我们勾选出自己知道的他的生平事迹，以表达对他的敬意：

☐马克 · 罗斯科出生于拉脱维亚，于 1913 年和家人一起移民纽约。

☐在 1921 年至 1923 年间，罗斯科于耶鲁大学求学。他在课后参观博物馆与美术馆，在那里看到了亨利 · 马蒂斯与胡安 · 米罗的作品。他非常专注地研究马蒂斯的作品《红色的画室》，曾连续好几个月，每天都去参观学习；

☐后来，他也表示《红色的画室》是他所有抽象绘画作品的基础。

☐离开耶鲁大学以后，罗斯科搬到纽约市担任教职。

☐ 1933 年，他的作品于波特兰美术馆与纽约当代艺术画廊展出。

☐在 20 世纪 40 年代，罗斯科成为抽象表现主义这个松散团体的成员，其他艺术家包括杰克逊 · 波洛克、威廉 · 德 · 库宁与阿道夫 · 戈特利布。

☐罗斯科的职业生涯，一直在尝试“为别人减轻痛苦，带来快乐”，不过他自己却做不好情绪管理。

"你整个迷失在色彩里，你完全被色彩包围，就好像它是音乐一样。"

大局观

1958 年，罗斯科受到委托，替纽约西格拉姆大厦的四季餐厅绘制一系列壁画作为装饰，在三个月内完成了 40 幅以红色与褐色为基调的画作。他甚至将画作改成横向格式，以搭配餐厅的垂直特征。然而，后来罗斯科发现自己不喜欢餐厅的气氛，拒绝继续进行这个方案。他的尸体被发现的当天早上，即将在泰特美术馆展出的其中一组西格拉姆壁画抵达伦敦。目前这组作品在泰特美术馆拥有戏剧性十足的专属展示空间。

色彩疗法

罗斯科的画作有着模糊且无定形的形状，看起来像是失重的云。他有一系列非常壮观的“复合形式”作品：他在 3 米高的画布上仔细画上了薄薄一层颜料。他的目的是要让观看者觉得自己在观看的似乎是颜色本身。他的作品以效果闻名，观众会完全受到吸引（就如罗斯科被马蒂斯吸引一样），而且还会造成一种情绪反应。

"我只对表达人类的基本情绪感兴趣——悲剧、狂喜、厄运等等。"

让 - 米歇尔 · 巴斯奎特
文化英雄

巴斯奎特是将街头艺术带入主流的第一人，他的作品风格独特，结合了社会评论、非洲艺术与个人符号的运用，让他年纪轻轻就已成名。

趣味艺术小知识

在 6 岁的时候，巴斯奎特已经成为纽约布鲁克林博物馆的初级会员。

美式涂鸦

巴斯奎特在 7 岁时出了车祸。他因此入院一个月，当时他为了打发时间，研读了医学教科书《格氏解剖学》——这本书对他造成非常大的影响。

巴斯奎特于 20 世纪 70 年代晚期，开始在纽约从事涂鸦艺术，并且，在青少年时期，他就已经开始在大型画布上创作。他非常关注社会议题，借由作品抨击压迫与种族主义。到 19 岁的时候，他的作品已经在纽约多间画廊展出，极具影响力的《艺术论坛》杂志因此注意到他，大篇幅报道他的作品，也因此促使他从涂鸦艺术家的秘密世界进入更传统的艺术界。

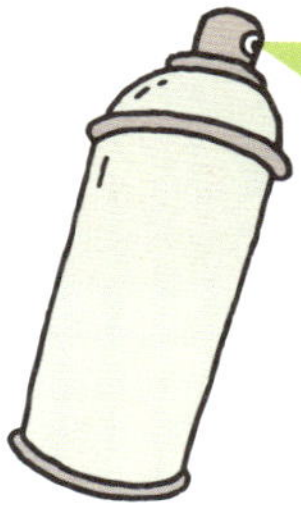

1983 年，年仅 23 岁的巴斯奎特结识了安迪 · 沃霍尔，沃霍尔后来成为他的良师益友，也帮他规划展览。短短几年内，巴斯奎特成为纽约艺术界的大红人，为收藏家与艺评家所喜爱，不过当安迪 · 沃霍尔于 1987 年骤然逝世之后，隔年巴斯奎特死亡，年仅 27 岁。

“不管你相不相信，我确实能画画。”

大局观

似乎没有人能确定到底要怎么念“*Basquiat*”的名字。若用法语发音方法，字母“t”不发音，所以发音会是“巴斯奇亚”或“巴斯奎”。然而，在一部诉说艺术家生平的电影中（《巴斯奎特》，1996年），电影中的角色将他的名字念成“巴斯奇奥特”。根据部分旧录音，艺术家本人用的发音是“巴斯奇亚特”。

绝对不是萨默

巴斯奎特和友人阿尔·迪亚兹创造了一个叫作SAMO（音译萨默）的涂鸦“人物”。萨默的诉求是“终结洗脑式的宗教、毫不顶用的政见与虚假的哲学”。在1977年至1981年间，萨默的签名遍布曼哈顿市中心，不过巴斯奎特与迪亚兹在1981年闹翻，此后，“SAMO©IS DEAD”（萨默已死）的字眼开始出现在各建筑的角落，想必是巴斯奎特签上去的。

极简主义

有关极简主义的更多信息，请翻页。

极简主义
回到基本面

超有趣运动

大部分新的艺术运动，都是对前一波运动的反应。极简主义这种极端的艺术就是个很好的例子，它的兴起是为了对抗当时比较混乱的主流趋势，也就是抽象表现主义。

趣味艺术小知识

20 世纪六七十年代间，极受欢迎的极简主义艺术家有唐纳德 · 贾德、艾格尼丝 · 马丁、弗兰克 · 斯特拉、安妮 · 特鲁伊特、罗伯特 · 莫里斯、丹 · 弗莱文、卡尔 · 安德尔、索尔 · 勒维特、琼 · 拜尔、罗伯特 · 曼戈尔德与约翰 · 麦克拉肯等。

享受安静

极简主义是一种对于纯粹与形式的信仰。极简主义艺术家相信，要让艺术从混乱、装饰性的过去解放，唯一的办法就是要剥除一切可能的装饰。极简主义否决了所有情感主体性（以及喷溅式的绘画），用一种仔细考虑、严谨自律且精确的手法来取而代之，借此扭转了抽象表现主义的趋势。这些艺术家认为，艺术应该要以现代材质如砖头、铝和荧光灯来制作。

唐纳德 · 贾德以及与他同时期的弗兰克 · 斯特拉、卡尔 · 安德尔与索尔 · 勒维特等，将艺术剥离到几乎赤裸的水平。他们的作品大多是立体的，运用了许多几何形状。贾德不替作品命名，安德尔再也不把作品放在基座或展示架上。任何能够移除的东西，包括艺术家本身隐晦的存在，全部都被移除了。

一堆老旧的……

1972 年，伦敦泰特美术馆买下了卡尔 · 安德尔的作品《等价物 VIII》。这些整齐排列的砖头，可能不符合每个人对艺术的想法，不过这件作品确实让人走进美术馆——那么，它也说不上是英国媒体口中发了疯才会买下的藏品吧。

概念艺术

索尔 · 勒维特借由让其他人帮他制作艺术作品的方式，将自己从作品中彻底抽离。他甚至更进一步，在作品制作期间完全不现身，只是把他想要做的东西写成简单的笔记，然后把指示传过去。而且，对于制作成果与他的要求是否差得很远，他也不太在乎——对他来说，重要的是他手写的笔记，也就是创作概念。想法比结果来得重要。随着勒维特的脚步，我们来到了概念艺术的世界。

大局观

20 世纪 60 年代是极简主义受到艺术家热烈欢迎的时期，当时的科技正带领着人类踏出这个世界：美国正准备要把人类送上月球。如此说来，当时的文化会具有科学性与时空性，也是合理的。

超有趣作品
8号

《无题 < 我买故我在 >》巴巴拉 · 克鲁格

20 世纪 80 年代，巴巴拉 · 克鲁格创作了用以评论社会状况的一系列作品，力道相当强大。克鲁格的特色风格是结合黑白摄影与白底红字的精简口号。

无题

表面看来，这件作品的意义似乎很明显：购物让我们了解到自己是谁。这口号是从哲学家勒内 · 笛卡尔的名言“我思，故我在”改编而来，笛卡尔用这个论点来证明自己曾经存在。

重新合成笛卡尔的名言，让克鲁格的批评额外有力，意指人们不再思考，只会买而已。在过去，我们仰赖思想家，寻求关于自我意识的想法，到了现在，则倚赖商品。我想，我们可以很放心地说，这句话在现在比在 1987 年还更真实。

趣味艺术小知识

克鲁格出名的地方，在于她对代名词的运用方式，以及她只会使用 Futura Bold Oblique 和 Helvetica Ultra Condensed 这两种字体。

接下来发生了什么？

在 21 世纪早期，一件让人意想不到的事情发生了。有间名叫“母亲”的广告公司（以具有能创造可以吸引文化观众的活动让他闻名），看到克鲁格的作品，认为它非常适合用作伦敦一间知名百货公司的广告宣传。他们联络了克鲁格，而出人意料的是，克鲁格竟然同意合作——在收取高额费用的前提下。

因此，一件最初发表时是为了反对消费主义的作品，竟然被用来销售商品。哎呀！克鲁格为自己提出辩护，表示让许许多多不同的人在大街上看到她的口号，总比让作品困在美术馆里来得好。她从事公共艺术，所以这种文化与商业的奇特结合是合理的。你认为她是对的吗？

大局观

克鲁格的其他重要作品运用了下面的口号：“你的身体是战场”“我的沉默让你安逸”“你投资的是杰作的神性”。

行为艺术
世界是座舞台

超有趣运动

行为艺术源自 20 世纪早期。人们试着接受第一次世界大战所带来的恐惧，各自有了惊吓与敬畏的反应。自此以后，行为艺术发展了起来。

趣味艺术小知识

小野洋子的第一个概念艺术展览，包括了“钉钉子”的那件作品——让观众动手将钉子钉到木块里，每钉进一根钉子，就是一件不同的艺术作品。

偶发艺术层出不穷

在 20 世纪早期的维也纳与苏黎世的伏尔泰酒馆，达达主义者带来了各种疯狂的舞蹈表演与篡改过的诗作。法国超现实主义者以荒谬为焦点，意大利未来派艺术家则以艺术的名义，用不能吃的食物举办宴会。第二次世界大战以后，“偶发艺术”这个词汇（代表一个具有非线性故事情节与观众主动参与的演出、事件或情境）开始更频繁地与其他艺术活动如戏剧、舞蹈、雕塑、音乐与诗歌等一起出现。艺术走了出去，不再只是局限在画廊与美术馆的空间里。

成为艺术的一部分

行为艺术有一种解放感：那个瞬间只会发生一次，你必须要在那里才能体验，而且它也不是能够被保存或贩卖的东西。行为艺术家也可以运用许多新技巧。举例来说，伊夫 · 克莱因在模特儿身上涂满蓝色颜料，让他们在画布上翻滚，借此追求纯粹且真正的艺术，而蓝人乐队则让自己成为艺术的一部分，并获得了全球性的成功。

像三月野兔一样疯狂

约瑟夫 · 博伊斯在 1965 年又把行为艺术往前推了一步。他的想法是要制造谣言、神话与传闻，并被人铭记他是第一个执行的人。所以，是谁把自己身上淋满蜂蜜，一脚穿着毡鞋，一脚穿着铁鞋，然后在美术馆里走来走去，向一只死野兔解释着墙壁上的每一张图画呢？是的，这个人就是约瑟夫 · 博伊斯。

活雕塑

吉尔伯特和乔治二人组是英国最离经叛道也最受喜爱的行为艺术家。二人组将自己视为活雕塑，拒绝将自己的艺术与自己的日常生活拆开来，坚持他们所做的每件事情都是艺术。1986 年，吉尔伯特和乔治二人组赢得透纳奖，他们是第一组以非绘画作品赢得该奖项青睐的艺术家。

盗贼的指纹

艺术品遭窃总是会上头条新闻，也常是电影大片中让人兴奋的情节。令人伤心的是，遭盗的艺术品只有小部分能重新找到，尽管如此，你还是不禁对这些艺术品小偷的胆大妄为感到惊讶。所以，诸位先生女士，让我在这里讲讲 20 世纪最惊人的 3 起艺术品窃盗案……

不一样的警察临检

美国史上最大规模的艺术窃盗案，于 1990 年 3 月发生在波士顿伊莎贝拉 · 斯图尔特 · 加德纳博物馆，价值预估高达 3 亿美元的艺术作品，被两名伪装成警察的盗贼夺走。被盗走的艺术品共有 13 件，包括德加、马奈、维米尔与伦勃朗等人的作品。这起窃盗案目前仍尚未破案，若能让作品平安归还，可以获得 500 万美元的奖励。对这间位于波士顿的小型博物馆来说，更糟糕的是，在此之前他们并没有安排购买保险。

被盗的呐喊

挪威的盗贼似乎对爱德华 · 蒙克情有独钟。1994 年 2 月，在挪威的奥斯陆国家美术馆，蒙克于 1893 年创作的杰作《呐喊》被盗。几名盗贼没多久就落网，画作于同年 5 月重新在馆内展出。

10 年以后，另一个版本的《呐喊》于奥斯陆的蒙克博物馆被盗，同时被盗的还有蒙克的《圣母》。两幅画作都在两年内被找了回来。此外，在 1995 年，3 件蒙克的画作在挪威的一间旅馆失窃，不过 3 件作品在隔天就被全数找回。

徒劳无功的莫奈窃贼

2008 年 2 月，两幅毕加索的画作在瑞士普费菲孔的一个展览中失窃，画作价值约 200 万英镑。4 天以后，在距离苏黎世不远的地方，3 名戴面罩的抢匪在闭馆前持枪闯入布尔勒收藏展览馆，带走四件分属塞尚、德加、莫奈与凡高的作品，价值约 8400 万英镑。2 周以后，莫奈与凡高的画出现在苏黎世的一个停车场。2012 年，塞尚的画在萨尔维亚寻获。德加的画至今仍下落不明。

界外艺术
来自艺术圈之外

超有趣运动

界外艺术是指没有经过艺术正统训练、不属于任何艺术团体且存在于社会边缘的艺术家。界外艺术家在沟通自己的想法与感觉的时候可能有障碍，所以选择艺术作为自我表达的媒介。

疯人艺术

“界外艺术”（outsider art）这个词汇于 1972 年由英国艺术评论家罗杰 · 卡迪纳尔提出。在法语中的对应词汇为“Art Brut”，是画家让 · 杜布菲在 20 世纪 40 年代创造的词汇，意指“粗糙的艺术”或“原始的艺术”。

界外艺术家通常并不打算制作艺术品——他们只是运用任何可取得的材料去建造、绘画、雕塑或描绘他们个人的想法与执念，这样的行为通常是不自主的。

一直到后来，其他人（包括艺术品商）介入，他们的创作才开始被当成艺术对待。

许多评论家都对界外艺术感到困惑，不过现在界外艺术已经是当代艺术下一个确定且具有影响力的领域，也不乏收藏者。

界外艺术非常迷人，它向我们展现出这些不是艺术家的艺术家对这个世界另一种独特另类的观点。从他人的眼中来观看这个宇宙，是一种非常强烈的体验。

趣味艺术小知识

阿道夫 · 沃尔夫利是最有名的界外艺术家之一。成年以后，他大部分时间都在精神疗养院度过，绘制了许许多多有关想象冒险的复杂图像。

大局观

界外艺术在19世纪初发端于欧洲的精神病院。医生搜集了精神病患的画作（不是当作医学证据而是当成艺术品来收藏），将作品结集成册出版，推广他们的作品。其中最具影响力的出版物是《一个精神病艺术家》，它是有关界外艺术家阿道夫 · 沃尔夫利的第一本书。

疯狂之中的方法

许多知名界外艺术家都有着古怪的性情，其他则有不同程度的残疾障碍如自闭症或唐氏综合征。亨利 · 达戈是个隐士；霍华德 · 芬斯特是个专门画标语和讲道文章的传道者；比尔 · 特雷勒原本是奴隶；玛琪 · 吉尔认为有一位精神导师引导着她将复杂的几何图形画在年轻女性肖像的周围。

疯狂之中总有部分理智存在。

——弗里德里希 · 尼采

艺术的价值

这里有一张图画。你觉得它怎么样？你喜欢它吗？让我告诉你有关这幅画的一些事……

这幅画是抽象表现艺术家乔尔·威尔登·基斯于1968年在纽约创作的作品。2009年，这幅画在佳士得拍卖会上卖出450万英镑的价格。

事实上，前面那些话是我胡扯的。这幅作品是一名三岁的小女孩在幼儿园画的，小女孩的妈妈把作品贴在办公室的墙壁上，让自己在上班的时候可以想想女儿。

赚钱是艺术，工作也是艺术，做好生意是最棒的艺术。

——安迪 • 沃霍尔

背景变成前景

骗过你了！好吧，上面讲的“事实”其实都不是真的——这张图是我们的插画师凑合着画出来的。然而，在你读到上面两段叙述的时候，对于这幅画作有没有不同的想法呢？当你认为它是个昂贵的艺术品时，你有观察到图画的颜色是刻意挑选的吗？你有观察到图画的结构及其内涵吗？450万英镑的价值会让你因此更喜欢它吗？

当你想到它是小朋友的作品时，是否马上会觉得上色方式挺草率随意的？它看来是否毫无计划，只有对“艺术家”的母亲才有个人价值，而不能当成艺术品？

有关艺术家的信息，的确很容易就会影响到你“看待”一件作品的方式。艺术品到底由什么构成，并没有固定规则可言，我们通常得自行判断，因此即使是最微小的背景信息，都能轻易动摇我们的观点。

达米安 · 赫斯特
企业艺术家

超有趣艺术家

趣味艺术小知识

达米安 · 赫斯特是世界上最富有的在世艺术家，身价超过 2 亿英镑。

从 20 世纪 80 年代晚期到 20 世纪 90 年代，赫斯特向艺术界提出许多新概念，大幅度改变了人们对艺术的感知——无论我们是否赞同他的意见。

以其人之道还治其人之身——让我们来解剖赫斯特！

□赫斯特在利兹长大，在高中艺术课程还只拿到过“E”的成绩，不过仍然设法进入伦敦金匠学院就读。

□在学期间，他认识了富豪查尔斯 · 萨奇，萨奇也在这个阶段同意资助他从事艺术创作。

□赫斯特最有名的作品包括浸泡在甲醛溶液里的鲨鱼、牛与羊标本，利用（活的和死的）蝴蝶制作的艺术品，各式各样的旋转画与圆点画，以及镶满钻石的骷髅头骨。

□赫斯特与许多 20 世纪艺术家的观点一样，认为想法比作品本身更重要，艺术家的“手”不再重要。

赫斯特与他的团队据估计制作了 1400 幅圆点画；赫斯特自己绘制的只有 5 幅。

大局观

“结合高中艺术课程E水平、扭曲的想象与链锯做出来的东西实在让人太讶异了。”

艺术的事业

赫斯特一直专注于赚钱和自我推销。他浸泡在甲醛溶液中的虎鲨(《生者对死者无动于衷》)卖出1200万美元的价格。他还在一个人类头骨上镶了价值数百万英镑的钻石(《献给上帝之爱》),然后用两倍的价格将它当作艺术品卖了出去。在此之前没人做过这种事。不过这到底是让赫斯特成了艺术家,还是说他只是个独特的诈骗者呢?

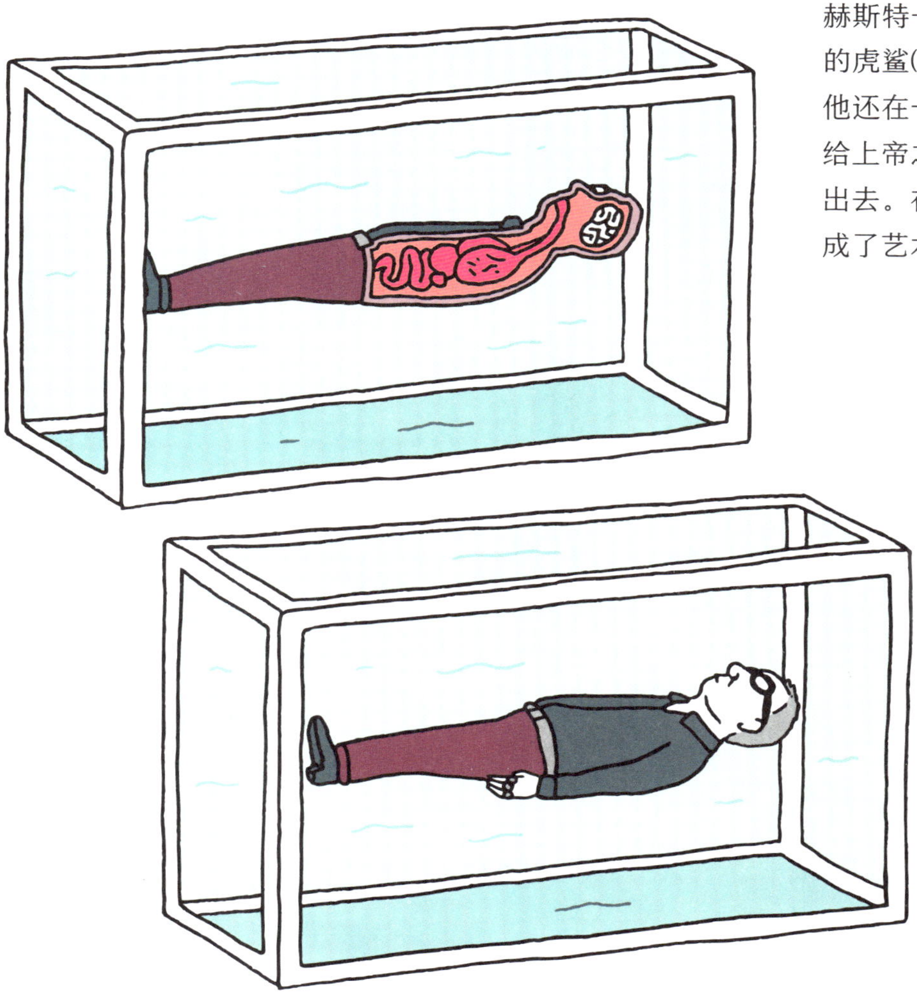

鲨鱼的制作

赫斯特的《生者对死者无动于衷》是现代艺术的崇拜对象。然而,你现在在美术馆里看到的鲨鱼,并不是1991年这件作品问世时的原版。原版的那条鲨鱼,在甲醛溶液里腐烂了。在这件作品售出之前,赫斯特将里头的鲨鱼换了一条,回避了“这是否还是同一件艺术作品”的问题。赫斯特承认:“艺术家与保存专家对于什么东西才是重要的,有着不同的看法:原版艺术品还是原始意图。我来自概念艺术背景,因此我觉得意图比较重要,它仍然是同一件作品。不过这个争议会在很久以后才得以解决。”你怎么看呢?

超有趣艺术家

班克西
全球街头艺术家

20 世纪 90 年代晚期，班克西因为在家乡布里斯托尔与伦敦哈克尼及肖迪奇等区域的墙壁与桥梁上绘制的各种大型讽刺模板画而成名。他讽刺性极高且反体制的文字游戏，加上颠覆性的艺术作品，先在英国各地的墙壁上出现，后来也蔓延到世界各地。

你敢相信吗？

班克西一开始在布里斯托尔时，是个相当典型的涂鸦艺术家，不过他因为使用模板，而能突破纯涂鸦的领域。纯涂鸦艺术家以能徒手用喷漆绘画及能够控制喷漆罐的能力自豪。对于他们来说，准备剪好的模板是自欺欺人的做法，也违反规则，不过班克西并不在意。许多涂鸦艺术家将班克西视为骗子与背叛者，然而没过多久，他们就开始希望自己是率先想到这种做法的人。班克西很会自我推销，他策略性地将作品放在时尚且有影响力的年轻人能看到并谈论它们的地方。如今，他在街上创作的任何新作都会受到宣扬。他完全击败了所有反涂鸦的当权者——若班克西的作品出现在你的区域，现在的议会政策不会把它刷白，而是把它当成地方遗产来保护。

班克西并不是只会用颜料来创作。2004 年，他成功地将一只装在玻璃盒里的老鼠放到伦敦国立自然史博物馆里展览。虽然这只老鼠戴着太阳眼镜，它还是静静地在参观者眼底下待了好几个小时，没有被人发现。

98

趣味艺术小知识

班克西在 2010 年因为纪录片《画廊外的天赋》获得奥斯卡提名。

模板是王者！

涂鸦艺术在 20 世纪 80 年代晚期的时候，是英国的亚文化，警察花了 10 年的时间才遏制住这股风气。到 20 世纪 90 年代末，到处都装着的监视器、反涂鸦警察、更重的罚款与判罪、有所改善的车站保安，这些都严重剥夺了涂鸦艺术的发挥空间。要成功让作品上街头，就得偷偷摸摸，动作还得非常快：这也是为什么模板成了班克西成功的关键——放模板喷漆的动作非常快。

大局观

为了对美国关塔那摩监狱表达抗议，班克西将一个真人大小的橙色工装裤囚犯模型放在迪士尼乐园的一个游乐设施旁边。

你见到过这个人吗？

落选者沙龙

1863年，法国政府允许一群作品落选的艺术家，在巴黎沙龙的附属展中展出他们的作品，让新一代的艺术家能向世界展现他们让人激动的新作。

> 落选者沙龙是现代艺术进展中最具决定性的制度发展。
>
> ——**阿尔伯特 · 博姆**

美丽的落选作品

巴黎沙龙是新兴艺术家向世人展现作品的正式通道。评审团替巴黎沙龙遴选作品时有些因循守旧，只接受传统风格的历史绘画，拒绝其他作品。令人失望的是，他们与时代潮流严重脱节，落选的沙龙作品导致舆论哗然。后来，拿破仑三世介入，命令让落选展品公开展览，才有了这个在巴黎沙龙旁边设置的落选者沙龙。

落选者沙龙的展览者包括一些逐渐崭露头角的天才，如詹姆斯 · 麦克尼尔 · 惠斯勒、保罗 · 塞尚与卡米耶 · 毕沙罗。然而，其中最著名的反而是爱德华 · 马奈的杰作《草地上的午餐》。

达米安 · 赫斯特的《冰冻》展览

1988 年 7 月，16 名金匠学院的艺术学生在伦敦码头区策划了这场展览。这群艺术家就是目前为人所知的英国青年艺术家（简称 YBAs）。

《冰冻》是那种每个人都说他看了可是几乎没有人看的展览。

——**达米安 · 赫斯特**

变故层出不穷的艺术事件

达米安 · 赫斯特是这个展览的主要负责人，他集结了自己的人脉和大学伙伴，促成了这个展览。他刻意让展览空间模仿查尔斯 · 萨奇在北伦敦的艺廊，此举可能是为了要吸引萨奇的注意。整个展览以他同学的作品为主，包括莎拉 · 卢卡斯、加里 · 休姆、费欧娜 · 瑞、迈克尔 · 兰迪与马特 · 克里肖在内的许多人，自此以后他们都成了知名艺术家。

赫斯特的诱饵确实管用。查尔斯 · 萨奇闻风而至，并买下了克里肖的一件作品。泰特美术馆馆长和皇家艺术学院的展览秘书都来了，此外还有几位记者和艺术评论家。新一波的英国艺术家就此诞生。十年以后，参加这场展览的许多艺术家，又一起成为皇家艺术学院《耸动》展览的要角。该展内容引起的争议，巩固了这群艺术家的名声与市场价值。

词汇表

前卫（Avant-Garde）：在法语中是“先遣部队”之意，指走在时代尖端，拓展概念界线的人。

双年展（Biennale）：意大利语，指每两年举办一次的国际艺术展。

当代艺术（Contemporary art）：在世艺术家创作的艺术。当代艺术与特定团体、风格或技术并没有关系，就只是来自现在这个时期的艺术。

策展人（Curator）：负责组织艺术展览的人。策展人会花好多年的时间研究艺术，选择适合用来描述艺术的术语（参考“实践”词条）。

荷兰风格派（De Stijl）：第一次世界大战期间在荷兰创立的艺术运动。参与的艺术家与建筑师试图利用直线、横线与三原色来创造共通语言。这个运动的名称来自彼埃·蒙德里安在荷兰经营的《风格》杂志名。

短效印刷品（Ephemera）：手写便条、公车票、日记、草图、老照片——任何本来不会被保留，却被化为艺术品或放在展览中陈列以替艺术家提供脉络的物品。

野兽派（Fauvism）：法文，有“野兽”之意。野兽派是 20 世纪早期与亨利·马蒂斯有关的绘画风格，它强调大胆用色与沉重笔触而非真实感。

水粉画（Gouache）：指不透明水彩，也指使用不透明水彩画的画。

偶发艺术（Happening）：艺术家或集体进行的无剧本自发性演出，通常是在公共空间进行的即兴表演。

圣像破坏（Iconoclasm）：攻击既有信仰、习俗制度或艺术作品的行为。

并置（Juxtaposition）：将颜色或主体放在紧密一起的技巧，借此让观看者比较和对照。

动力雕塑（Kinetic sculpture）：会活动的雕塑品。艺术品可以装上发动机，用手操作或利用空气或水的流动来推动。

麻胶版画（Linocut）：因为马蒂斯和毕加索而普及的技巧，制作时将油毡切割、上色后压在纸上。制作出来的图像一般会比版画锐利。

现代艺术（Modern art）：自 1900 年左右至今的艺术作品。这个词汇也用来指称历史上现代主义时期的作品。在 1900 年以后制作的所有艺术都可以被称为“现代”艺术，因为它们是在现代主义这个历史现象的时期或之后创作的。

母题（Motif）：单一元素在一个模式或系列中进行不同的重复。这可以包括纺织艺术中图案与形状的重复，也可以指将植物、果实与花当作象征符号运用的情形。

新媒体（New media）：用以描述艺术中出现的新媒介，因为这种媒介非常新，所以还没有自己的称呼。以数位方式制作的艺术，例如利用扩增实境电话应用程式制作的艺术，目前被称为新媒体。

装饰品（Ornamentation）：增加外观美丽的装饰与细节。如果一种艺术运动偏好装饰，紧接在后的运动通常就不会喜欢装饰，反之亦然。

实践（Praxis）：意指艺术家作品的实现。这个词通常与“gnosis”（灵知）一词连用，该词指“对某些事的了解”。两词连用时，指的其实是理论与实践，根本上来说就是思考有关事物与制作事物。

15 世纪（Quattrocentro）：意大利文，字面意思为“400”，指 15 世纪文艺复兴时期，以及复兴古希腊与古罗马艺术形式的艺术家。

洛可可（Rococo）：18 世纪的法国艺术与建筑装饰风格，非常复杂且华丽。以柔和色彩呈现较有趣味的主题，是对于在此之前更正式的巴洛克风格的一种反对形式。

空间（Space）：流行字眼，指非正式的艺廊。空间可以在任何地方，如废弃建筑、花园或停车场。“pop-up space”是临时展览或特展的另一种称呼。

错视画法（Trompe-l'oeil）：法文，有“欺骗眼睛”的意思。用来指称错觉的艺术用词，通常指二维图像看起来像三维图像的情形。

都会（Urban）：尝试用一个词来分类涂鸦与街头艺术的各种变化。这个词的使用具有争议性，因为它包含了对社会阶级甚至种族的暗示，例如城市原住民艺术。

鲜明（Vivid）：用来赞赏彩绘的用词。通常指看起来很扎眼。

女性艺术家（Women artists）：虽然大部分艺术学生是女性，而且女性创作的艺术作品也比男性来得多，在讲到商业画廊的代理时，女性多半为弱势。更让人费解的是，大部分商业画廊的负责人、艺术经纪人与管理人员都是女性。

X 光艺术（X-Ray art ）：公元前 2000 年左右的原住民绘画风格，骨骼结构与内脏都是看得到的。

英国青年艺术家（YBAs）：20 世纪 90 年代参与伦敦萨奇美术馆同名系列展览的一群英国艺术家，包括翠西 · 艾敏、加文 · 图尔克、莎拉 · 卢卡斯与达米安 · 赫斯特。

时代精神（Zeitgeist）：德语，用以指称“我们目前的状况”。艺术所处理的议题往往关系到我们周遭的人类环境。

当你不懂的时候，画画很容易。不过当你懂了以后，画画就变得很难。

——**艾德加 · 德加**

作者 | [英] 西蒙 • 阿姆斯特朗 Simon Armstrong

泰特美术馆的图书采购、作家、唱片收藏家与 DJ

绘者 | [英] 达米恩 • 维西尔 Damien Weighill

阿迪达斯，福特和《卫报》的插画师

译者 | 林洁盈

台湾大学动物学学士，英国伦敦大学学院博物馆学硕士
自由职业者，从事翻译与博物馆规划等工作
代表译作：《发现之旅》《我的第一本美国国家地理动物百科》

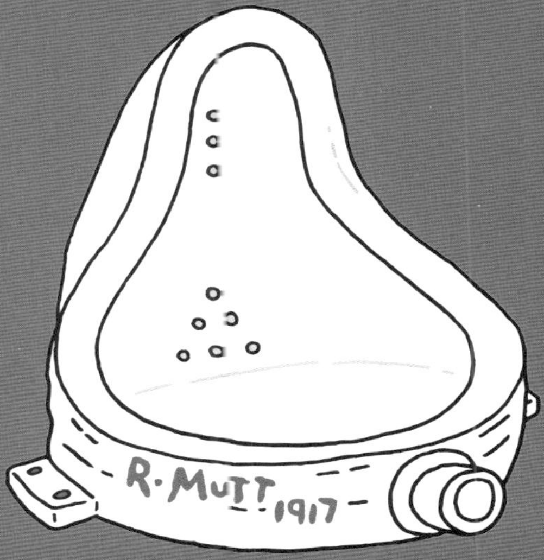

多的是你不知道的科学知识

嘭！艺术史超有趣

产品经理｜张　鑫　　特约印制｜路军飞
装帧设计｜陈　章　　技术编辑｜顾逸飞
产品统筹｜何　娜　　策 划 人｜吴　畏

图书在版编目（CIP）数据

嘭！艺术史超有趣 /（英）西蒙·阿姆斯特朗著；（英）达米恩·维西尔绘；林洁盈译. 一昆明：云南美术出版社，2018. 11
ISBN 978-7-5489-3557-5

Ⅰ. ①嘭… Ⅱ. ①西… ②达… ③林… Ⅲ. ①艺术史一世界一儿童读物 Ⅳ. ①J110. 9-49

中国版本图书馆CIP数据核字(2018)第285707号

著作权合同登记号 图字23-2018-013号

First published in the United Kingdom in 2014 by Portico,
an imprint of Pavilion Books Company Limited, 43 Great Ormond Street, London, WC1N 3HZ.

责任编辑：梁　媛
装帧设计：陈　章
责任校对：杨　盛

嘭！艺术史超有趣
［英］西蒙·阿姆斯特朗 著；［英］达米恩·维西尔 绘；林洁盈 译

出版发行：云南出版集团
云南美术出版社（昆明市环城西路609号）
制版印刷：北京尚唐印刷包装有限公司
开　　本：787mm×1092mm　1/16
字　　数：200千字
印　　张：7.25
印　　数：1-7,000
版　　次：2018年12月第1版
印　　次：2018年12月第1次印刷
书　　号：ISBN 978-7-5489-3557-5
定　　价：46.00元